FERGUUT

Herman van Campenhout
Ferguut

Vanaf 12 jaar

© 2002, Abimo Uitgeverij,
Beukenlaan 8, 9250 Waasmunster
foon: 052/46.24.07 fax: 052/46.19.62
website: www.abimo-uitgeverij.com
e-mail: info@abimo-uitgeverij.com

Eerste druk: maart 2003

Cover
Gunter Segers

Vormgeving
Marino Pollet

D/2003/6699/03
ISBN 90-59320-63-8
NUR 283

STICHTING NEDERLANDSE
KINDERJURY
2004

HERMAN VAN CAMPENHOUT

ABIMO
UITGEVERIJ

[1]

Dong, dong, dong.

De grote gong op de wachttoren kondigt het begin van de dag aan. Koning Arthur schrikt wakker. Hij heeft het koud, de dekens voelen klam aan. Dit is weer een druilerige regendag waar Brittannië zo rijk aan is. Over de heuvels en dalen hangen tranende nevelslierten. Aan elke tak parelt een valrijpe druppel. Zelfs in de zomer moet de zon het dikwijls afleggen tegen regen en mist.

De koning heeft geen zin om op te staan: het is moeilijk regeren als het miezert en de mensen er koud en stuurs bijlopen. Met een geeuw draait hij zich om. Hij wil zich tegen Guinevere aanvlijen.

'Arthur! Kom kijken!'

Koningin Guinevere staat voor het kleine venstertje en tuurt naar buiten. 'Kijk eens hoeveel mensen er voor de poort staan te wachten!' zegt ze ongelovig.

De koning bromt en trekt de dekens verder over zijn hoofd.

'Een hele stoet van klagende en jammerende mensen!'

Het duurt even voor dit tot de koning doordringt. Dan wipt hij uit bed en loopt naar het torenvenstertje.

'Ongelooflijk', stamelt Arthur. 'Is er iets speciaals gebeurd? Weer een aanval van de Picten? Een overstroming of een besmettelijke ziekte?'

'Niet dat ik weet', antwoordt Guinevere. 'Maar je zal het vlug genoeg vernemen!'

Koning Arthur loopt terug naar het bed en trekt aan de belkoord. Onmiddellijk zwaait de deur open en zijn bedienden komen naar binnen. De koningin gaat met haar dienstmeisjes in de kamer ernaast. De dienaars gieten warm water in een kom, zodat de koning zijn handen en gezicht kan wassen.

'Is mijn koningsring al teruggevonden?'

'Nee, heer.'

'Dan doen we het maar zonder.'

De bedienden helpen hem zijn wollen kousen, leren sandalen en wit bovenkleed aan te trekken. Die passen bij deze gelegenheid. De Romeinen mogen dan al honderd jaar geleden het land verlaten hebben, hun levenswijze wordt door de rijke Britten nog steeds in ere gehouden.

Ondertussen is ook de hofklerk binnengekomen.

'Wat doen al die mensen voor de kasteelpoort?' vraagt de koning wrevelig. 'Er is toch niets gebeurd dat je voor mij verzwegen hebt?'

'Helemaal niet, Sire!' haast de klerk zich. 'Het is vandaag de maandelijkse hofdag...'

'Dat weet ik, jongen. Maar daar komen nooit meer dan twintig, dertig mensen op af en nu ziet de binnenkoer zwart van het volk!'

'Heer, ik ben geen waarzegger', reageert de klerk koel. 'Misschien vraagt u het hen beter zelf.'

'Zal ik doen! Geef aan de wachters bevel de mensen in de troonzaal te verzamelen. Ik kom zo.'

De klerk verlaat de kamer en enkele bedienden brengen het ontbijt: een nap warme melk, een stuk brood en een homp kaas. Meer heeft de koning 's morgens niet nodig. Eigenlijk eet hij vooral 's avonds, wanneer hij met zijn ridders aan tafel zit en met hen de toestand van het land bespreekt. Op zo'n avond heeft hij de maandelijkse hofdag ingevoerd: elke eerste dinsdag van de maand mag elke vrije Brit naar de residentie komen om de koning te spreken, onrechtvaardigheden aan te klagen, zijn recht op te eisen of zijn beklag te doen over ambtenaren of belastingen. Er moet wel iets ergs gebeurd zijn, denkt koning Arthur, dat hier zoveel mensen naartoe gekomen zijn. Nog voor hij zijn ontbijt helemaal binnen heeft, verlaat hij de kamer en loopt de trappen af.

Wanneer hij de troonzaal binnenstapt, verandert het geroezemoes in eerbiedig gemurmel. Koning Arthur is dan ook een indrukwekkende verschijning. Groot, breed geschouderd, een wilde bos hoogblond haar, zoals de meeste Britse mannen, en een snor om U tegen te zeggen.

'Wie komt als eerste aan de beurt?' roept de koning, terwijl hij op zijn houten troon gaat zitten.

De mensen duwen een vrouw naar voor die haar zenuwachtigheid nauwelijks kan verbergen.

'En?' vraagt koning Arthur vriendelijk.

'Sire,' zegt de vrouw met een benepen hart, 'wij komen uit het dorp Bingham, op drie dagmarsen van hier, om ons beklag bij u te doen.'

De vrouw kijkt om naar haar achterban.

'Ja, wij komen klagen!' steunen de mensen haar.

'Wat is er dan gebeurd?' vraagt de koning.

'Twee weken geleden, vroeg in de morgen, kwam een prachtig uitgedoste ridder ons dorpsplein opgereden. Zeker vijftig soldaten liepen achter hem aan. Toen wij nieuwsgierig naar buiten kwamen om te zien wat er aan de hand was, verklaarde die mooie meneer dat de koning hem gestuurd had om de belastingen te innen. Onze sheriff trad naar voren en zei dat wij al betaald hadden. Onmiddellijk werd hij vastgegrepen, aan een boom gebonden en afgeranseld. "Jullie krijgen een halfuur de tijd om tweehonderd goudstukken samen te brengen!" brulde de ridder. Toen iemand durfde te zeggen dat er in heel het dorp nog geen tien goudstukken te vinden waren, werd de ridder razend en gaf zijn soldaten opdracht de huizen te doorzoeken. Al wat niet te zwaar of te heet was, hebben die schoften meegenomen: karren vol met fruit, graan, kleren, onze varkens en geiten. En toen ze weer weggingen, hebben ze onze sheriff in koelen bloede doodgestoken.'

Hier stopt de vrouw. Ze aarzelt. Wat ze nog te zeggen heeft, is niet makkelijk.

'Sire, waarom doet u ons tweemaal belastingen betalen? Waarom wordt ons dorp leeggeplunderd? Hoe kunnen wij de winter doorkomen, nu al onze voorraden zijn geroofd?'

'Wij zullen omkomen van honger!' wordt er geroepen. 'Wilt u ons uithongeren?'

'Toen u koning werd, hebt u nochtans beloofd de zwakken te verdedigen en de armen te helpen!'

Helemaal ontdaan heft koning Arthur zijn hand op. Ze wrijven hem dit onrecht aan! Dat moet hij onmiddellijk rechtzetten!

'Ik ben niet van plan jullie uit te hongeren. Aan geen enkele ridder heb ik bevel gegeven in jullie dorp belastingen te innen!' roept koning Arthur verbolgen.

'Zijn er nog mensen met dezelfde klachten?'

Vier, vijf mannen dringen naar voor om de koning hun verhaal te doen.

'Is er in jullie dorp ook zo'n ridder gekomen om belastingen te innen in naam van de koning?' vraagt Arthur.

'Ja!' roepen de mannen. 'En hij is op precies dezelfde manier tekeer gegaan! Bij ons hebben ze vijf mensen die zich tegen hen verzetten, vermoord!'

Koning Arthur zucht. Nooit zou hij een ridder uitsturen om belastingen te innen. Dat is het werk van zijn ambtenaren. Ridders die belastingen innen, zogezegd in naam van de koning, zijn adellijke dieven die zich rijk maken op het zweet van de dorpelingen en de koning een slechte naam bezorgen. De gestolen kleren en het voedsel verdelen ze onder hun handlangers, maar het geld, het goud, de juwelen en kostbare stoffen houden ze voor zichzelf. Het is niet gemakkelijk de plaag van de roofridders uit te roeien. Ze verplaatsen zich snel. De koninklijke troepen kunnen hen moeilijk te pakken krijgen. Zelfs als ze gevangen worden, kan de koning hen niet zomaar veroordelen. Het zijn edelen die recht hebben op een tweegevecht om hun onschuld te bewijzen. En als ze winnen, staat zelfs de koning machteloos. Maar deze mensen in de steek laten, mag hij niet doen. Hij heeft inderdaad gezworen het recht te laten zegevieren en het onrecht met alle middelen te bestrijden. Dat is zijn taak als koning en daar wijkt hij niet van af, zelfs niet voor de machtigste ridder van het koninkrijk.

'Op mijn woord van eer,' zegt koning Arthur plechtig, 'ik heb die ridder niet op jullie afgestuurd. Ik zal alles doen om de dief te pakken te krijgen en te straffen. Heeft iemand zijn gezicht gezien?'

Nee, niemand heeft ook maar een glimp van zijn gezicht kunnen opvangen, want de ridder droeg een helm met gesloten vizier. Ze zouden hem beslist niet herkennen wanneer ze hem nog eens tegenkwamen.

'Sire, zelfs als u de dief straft, sterven wij nog van honger', zegt de vrouw die in naam van allen gesproken heeft.

'Dan kennen jullie mij nog niet', antwoordt koning Arthur.

'Ik zal ervoor zorgen dat jullie eten en zaaigoed krijgen uit de koninklijke voorraadschuren. De nieuwe sheriff die ik stuur, moet erop toezien dat iedereen vergoed wordt. Vinden jullie dat goed?'

Het applaus dat de koning krijgt, maakt een antwoord overbodig.

'En voor jullie naar huis terugkeren, kan je hier blijven eten', voegt hij eraan toe. 'Er zijn niet veel mensen die kunnen zeggen dat ze bij de koning gegeten hebben!'

De bedrukte stemming van daarnet slaat om in voorzichtige vreugde. De koning staat op van zijn stoel en begeeft zich tussen de mensen. Allemaal willen ze hun verhaal aan hem kwijt. Iedereen wil met zijn eigen woorden het geleden onrecht in de verf zetten. En de koning neemt de tijd om iedereen zijn zegje te laten doen.

Maar wanneer Arthur naar iedereen geluisterd heeft, is hij nog niet veel wijzer geworden. Hij weet alleen dat deze zaak zo snel mogelijk moet worden opgelost.

's Avonds zit koning Arthur met zijn ridders aan de Ronde Tafel. Veertien plaatsen zijn er aan die wondertafel: één voor de koning, één voor de koningin en twaalf voor de naaste medewerkers van de vorst. Veertien namen staan in het tafelblad gegrift: Arthur, Guinevere, Lancelot, Iwain, Keye, Walewein, Tristan, Gawein, Lamorak, Galahad, Parsifal, Bereger, Erec en Bohort. Dit is, volgens de vertellers, de tafel waaraan Jezus met zijn twaalf apostelen het Laatste Avondmaal heeft gehouden. Aan deze tafel hebben de ridders feest gevierd. Hier hebben ze geruzied en vrede gesloten. Maar bovenal hebben ze aan deze tafel de gekste verhalen verzonnen om elkaar te overbluffen.

Dat is vanavond niet het geval. Koning Arthur zit zwijgend

te eten. Galahad en Lamorak zijn afwezig. De eerste inspecteert de troepen die de opdringende Saksen moeten tegenhouden. De tweede is naar Ierland vertrokken om zijn zieke vader te bezoeken. Bohort is juist op Camelot teruggekeerd na een spionageopdracht van enkele maanden door Schotland, het land van de Picten. Hij heeft al verslag uitgebracht over zijn bevindingen en nu probeert hij de anderen op te vrolijken met een verhaal over draken en mooie meisjes. Maar niemand luistert echt naar hem. Iedereen is met zijn eigen gedachten bezig.

'Heer', zegt Tristan in een poging toch een gesprek op gang te brengen. 'U bent niet erg vrolijk vanavond.'

Koning Arthur lacht flauwtjes.

'Kan moeilijk anders', zucht hij. 'Er is slecht nieuws.'

De ridders stoppen hun maaltijd en wachten geduldig op wat volgen zal.

'Er is weer een roofridder actief. In de streek van Bingham ditmaal. Schitterend uitgedost, maar onherkenbaar. Volgens de dorpelingen heeft hij zeker vijftig huurlingen in dienst. Hij heeft al vier dorpen overvallen met het smoesje dat de koning hem stuurt om belastingen te innen. Wat zeggen jullie daarvan?'

Ja, wat moeten ze daarop zeggen?! Iedereen begrijpt wel dat er zo snel mogelijk iets moet gebeuren. Maar wat?

'We brengen de troepen in staat van paraatheid en kammen de streek uit!' roept Keye zelfverzekerd.

'Veel te gevaarlijk', antwoordt de koning onmiddellijk. 'Wanneer je duizend soldaten door de bossen en moerassen van Zuid-Brittannië stuurt, komt minder dan de helft levend terug. Nee, dit is echt geen karwei voor een groot leger.'

'Ik denk dat wij maar eens op speurtocht moeten gaan', zegt Walewein.

Enkelen blazen om hun afkeer te tonen.

'Daar is toch geen eer mee te behalen', zucht Bohort.

'Struikrovers in de pan hakken, pff', haalt Lamorak de schouders op.

'Je kan niet altijd draken verslaan en mooie meisjes redden', spot Gawein. 'Af en toe moet er ook eens een doodgewone klus opgeknapt worden.'

De anderen grinniken.

'Jullie hebben destijds beloofd het recht te doen zegevieren', zegt koning Arthur nadrukkelijk. 'Gewone mensen beschermen en verdedigen is jullie eerste plicht. Ik heb geen twaalf ridders rond deze tafel verzameld om te eten en te drinken, dat kunnen jullie thuis ook, maar om de armen en de weerlozen veiligheid en zekerheid te geven.'

Even pauzeert hij, terwijl hij zijn ridders één voor één aankijkt.

'En als jullie nog tijd over hebben, mag je zoveel draken verslaan als je wil', voegt hij er schalks aan toe.

Het gelach van de ridders breekt de spanning die de strenge woorden van de koning hebben veroorzaakt.

Op dat ogenblik gaat de grote deur open. Een klein, in het grijs gekleed mannetje met een lange baard en een blinkende kaalkop komt de kamer binnen.

'Ha, Merlijn', verwelkomt de koning hem. 'Je komt als geroepen. Waar heb je al die tijd gezeten? De laatste drie maand heb ik je niet meer gezien. Toch niet ziek geweest?'

Voor Merlijn kan antwoorden, gaat de koning al verder.

'Kom hier naast mij zitten, want wij hebben een probleem en jouw raad komt altijd van pas.'

Gehoorzaam gaat Merlijn naast de koning zitten.

Een mooie jongen is de waarzegger niet, maar zijn raadgevingen worden door niemand in de wind geslagen.

'Er is namelijk weer een...', wil de koning verdergaan, maar Merlijn onderbreekt hem.

'Een roofridder', zegt hij kort.

Verbaasd kijken de anderen hem aan.

'Vannacht heb ik een eigenaardige droom gehad', gaat Merlijn voor zich uitstarend verder. 'Ik zag een ridder die met een bende opstandelingen een dorp overviel en de mensen afperste...'

'Heb je hem herkend?' valt Bohort hem in de rede.

'... Toen hij zijn vizier opende, zag ik een onherkenbaar verwrongen gezicht dat zei: *Eén van Jezus' twaalf apostelen was toch ook een Judas!*'

'Maar wie was het?' dringt koning Arthur aan.

'... Toen draaide die roofridder zich om en wou weg galopperen, maar een viervoeter bracht hem ten val! En toen schrok ik wakker... en ben ik naar hier gekomen om te vertellen wat ik gezien heb.'

Koning Arthur zucht.

'Kan je echt niets méér zeggen?' vraagt hij teleurgesteld. 'Er zijn twaalf ridders van de Ronde Tafel, maar er zijn ook twaalf bisschoppen en twaalf Keltische stammen, met elk een plaatselijke koning aan het hoofd. Waar moet ik de judas gaan zoeken?'

Merlijn haalt zijn schouders op.

'En die viervoeter?' probeert Gawein. 'Is dat een draak, een paard, een koe?'

'Dring niet verder aan', antwoordt Merlijn, terwijl hij opstaat. 'Meer weet ik niet. Daarmee zullen jullie het moeten doen.'

Voor iemand hem kan tegenhouden, heeft hij de deur al achter zich dichtgeklapt.

Verslagen blijven de ridders achter.

'Eerbiedwaardige man,' zegt de koning na een poosje, 'maar niet erg spraakzaam. Dus...'

De koning wacht een ogenblik en kijkt zijn ridder aan.

'... zullen we het zelf moeten oplossen!'

De ridders knikken.

Onmiddellijk staat Guinevere op. Ze laat de tafel afruimen. Een kaart van Brittannië wordt uitgerold en weldra zijn de mannen aan het overleggen hoe ze te werk kunnen gaan. Morgenvroeg zullen ze uit Camelot vertrekken, ieder naar een ander deel van het land. Daar moeten ze van dorp naar dorp rijden, ogen en oren wijd open. Op plaatsen waar de roofridder is langs geweest, moeten ze de orde herstellen en een nieuwe sheriff aanstellen. Ten laatste over vijf weken komen ze terug samen rond deze tafel om hun bevindingen te bespreken en een actieplan op te stellen, als de roofridder tegen die tijd nog niet ontmaskerd is, tenminste.

'Ik wens jullie veel succes', zegt koning Arthur terwijl hij de kamer verlaat. 'En tot over een goeie maand!'

[2]

Pas als de anderen met veel wapengekletter vertrokken zijn, komt Walewein naar beneden. In plaats van linnen en zijden gewaden draagt hij een grijsbruin plunje en een verroest harnas. Op zijn hoofd een wollen boerenmuts. Geen helm versierd met trotse veren. Geen lans om de tegenstander uit het zadel te lichten. Enkel zijn zwaard in een armtierige schede. Niet Gringolette, zijn lievelingspaard, haalt hij van stal, maar een oude knol die over zijn eigen benen struikelt. Kortom, Walewein ziet eruit als een ridder die betere tijden heeft gekend en aan een grondige opknapbeurt toe is.

De halve nacht heeft hij liggen denken. Gisteravond hebben ze nogal overhaast een beslissing genomen. Maar nu twijfelt Walewein. Als de ridders van de Ronde Tafel op onderzoek uittrekken, gaat dat niet onopgemerkt voorbij. Binnen de kortste keren weet iedereen in het rijk dat de heren op stap zijn. Hoe kan je een roofridder vangen die vooraf op de hoogte is van de komst van de jagers?

Daarbij, er klopt iets niet aan heel het verhaal. Roofridders zijn meestal verarmde edelen die hun domein verloren hebben en leven van wat ze roven. Maar deze roofridder zou schitterend uitgedost zijn! En als je weet wat mooie kleren kosten, moet je haast besluiten dat deze roofridder een rijk en machtig man is. En alle dorpen die hij tot nu toe overvallen heeft, liggen niet ver van Camelot. Theoretisch is het dus mogelijk dat de roofridder in de onmiddellijke nabijheid van de koning woont! Maar die gedachte wordt door Walewein snel verdrongen. Hij denkt veeleer aan een oude tegenstander van Arthur die de koning in een slecht daglicht wil stellen. Iemand die nog altijd niet verteerd heeft dat een jongen van zeventien de nieuwe koning van Brittannië werd. Hoewel het ook een vriend van de koning kan zijn die de poten van onder zijn troon wil wegzagen. Overigens kan een ridder met vijftig soldeniers, karren en buit niet zo maar verdwijnen. Die moeten toch ergens een spoor achterlaten! En precies dát wil Walewein vinden: een kleine aanwijzing die hem zegt in welke richting hij moet zoeken. Dergelijke sporen vind je het gemakkelijkst als je niet opvalt en rustig kan rondkijken zonder herkend te worden.

Onopgemerkt verlaat hij Camelot en sjokt in de richting van de stad Venta. Niet dat hij daar iets te zoeken heeft, maar zijn vriend Sagramort woont daar in de buurt. Sagramort is ongeveer de enige in deze streek die de villa van zijn voorouders heeft kunnen redden. Door ze te verbouwen tot een kasteelhoeve heeft hij elke plundering en belegering doorstaan. Als er in deze streek een roofridder actief is, dan weet Sagramort dat en heeft hij ongetwijfeld al maatregelen getroffen om de schurk gevangen te nemen.

Als Walewein zijn paard niet opjaagt en het met vriendelijke woordjes aanspoort, wil het nog wel eens een drafje riskeren. Lang kan het dier dit niet meer volhouden. Het is te oud geworden voor zo'n zware inspanning. Maar dat deert Walewein niet. Wanneer hij vandaag niet bij Sagramort komt, dan is het morgen. Of overmorgen. En opvallen doet hij helemaal niet. De boeren kijken niet op wanneer hij langs hun velden rijdt. Niemand komt aanlopen om een aalmoes te vragen. De vermomming werkt beter dan hij had durven hopen!

Maar daar zit ook een schaduwzijde aan. Wanneer hij 's avonds uitgeregend in een dorp aankomt, wordt hij door niemand verwelkomd. Een slaapplaats krijgt hij niet aangeboden. Hij moet zelf aankloppen om te vragen of hij in de schuur mag slapen. Al bij het eerste huisje van het dorp wil Walewein aankloppen. Maar hij twijfelt. Eigenlijk is het maar een hut. Misschien wonen hier arme mensen, die hem geen passend onderdak kunnen geven. Maar Walewein stapt toch af. Als hier inderdaad arme mensen wonen die hem willen helpen, kan hij ze nadien rijkelijk belonen.

Hij klopt aan. Wanneer de deur opengaat, staat er een struise kerel in de deuropening. Binnen ruikt het heerlijk naar gebraden vlees.

'En?' vraagt de man nors.

'Kan ik hier alstublieft de nacht doorbrengen en een stukje mee-eten?'

Als antwoord krijgt hij een bulderend gelach, een duw tegen de schouder en de deur die voor zijn neus dichtklapt.

'Ga weg, man!'

Onmiddellijk wil Walewein reageren. Spontaan grijpt hij naar zijn zwaard om die botterik manieren te leren, maar nee... Hij moet zich bedwingen. Tenslotte heeft hij zelf voor deze behandeling gekozen om niet herkend te worden.

Met veel moeite verbijt hij zijn woede. Als zijn kleren niet zo doorweekt waren, zou hij onder een boom gaan slapen! Een tweede vernedering kan hij niet over zich laten gaan. Maar de aanhoudende motregen dwingt hem zijn hoogmoed opzij te zetten en bij het volgende huis aan te kloppen. Het is een boerderij met schuren en stallingen, een echt Keltisch woonhuis met een rieten dak en een deur die zo laag is dat de bezoekers zich bijna dubbel moeten plooien om binnen te komen. Terwijl Walewein aanklopt, zinkt de moed hem al in de schoenen. Hij vreest een tweede keer afgewezen te worden... Maar de vrouw die de deur openmaakt, is vriendelijk. Walewein mag binnenkomen. Een opgroeiende jongen krijgt meteen de opdracht voor het paard van de ridder te zorgen. Walewein krijgt droge kleren en mag zich bij de stookplaats komen warmen. Kinderen staan hem vanuit het halfduister nieuwsgierig aan te gapen.

Wanneer een jonge kerel het huis binnenkomt en aan tafel gaat zitten, neemt een oude vrouw de grote zwarte ketel van het vuur en zet die op tafel. Met een houten lepel klopt ze tegen de wand van de papketel. Van alle kanten komen kinderen aangestormd. Ze wringen zich rond de tafel. Walewein krijgt een houten lepel en wordt uitgenodigd mee te eten. Voor ieder is er een kom dikke broodpap met een scheut honing erover. Om duimen en vingers af te likken!

Een wat oudere man en de vrouw die tot nu voor hem gezorgd heeft, zitten samen aan de kop van de tafel. De man heeft lang grijs haar en een baard die tot op zijn buik afhangt. De vrouw is helemaal verrimpeld en haar zilverkleurig haar hangt in slierten. Een jonger paar en misschien wel tien kinderen vullen de andere plaatsen. De oudste niet ouder dan zestien, zeventien, de jongste nog op de schoot van zijn moeder. En al de kinderen zien er gezond uit. Met grote nieuwsgierige ogen staren ze hem aan. Ze geven tekens aan elkaar of beginnen te giechelen. Maar één blik van vader volstaat om alle gewoel te doen verstommen.

'Mooie familie', zegt Walewein vol bewondering.

'Gelukkig,' antwoordt de boer, 'verdienen we door hard te werken al wat we nodig hebben. Sinds koning Arthur de orde in het land heeft hersteld, gaat het ons zo goed dat we

zelfs aan de opvoeding van de kinderen kunnen denken.'
Eigenaardig, denkt Walewein. In een klein hutje wordt vlees
gebraden en in een welvarende boerderij stellen de mensen
zich tevreden met broodpap. Natuurlijk kan hij moeilijk vragen waarom ze geen vlees eten. De gastvrouw zou denken
dat hij het eten niet lekker vindt. Stel je voor!
'En uw familie, heer?' vraagt de jonge boer. Waar zijn uw
vrouw en kinderen? Waar komt u vandaan? Waar gaat u
naartoe?'
Walewein heeft deze vragen verwacht. Boeren zijn wel gastvrij voor hun gasten, maar in ruil verwachten ze dat hun
bezoekers honderduit vertellen en de hele familie een aan-
gename avond bezorgen. Maar veel mag Walewein niet
kwijt.
'Ik heb geen familie', zegt Walewein eenvoudig. 'Ik ben een
rondtrekkend ridder en zoals je ziet, ben ik daar niet rijk van
geworden.'
Walewein trekt zo een treurig gezicht dat de boer niet aan-
dringt.
'Als u het goed vindt,' voegt Walewein er snel aan toe, 'zou
ik nu graag gaan slapen. Ik ben moe en morgen heb ik nog
een lange tocht voor de boeg.'
'Natuurlijk', zegt de boer. Maar aan zijn gezicht en dat van
zijn huisgenoten merkt Walewein dat ze teleurgesteld zijn.
'Als u het goed vindt, krijgt u er vanavond nog een schildknaap bij. Mijn oudste zoon, Ferguut, is een echte fan van de
ridders van de Ronde Tafel. Telkens als er een verteller in het
dorp komt, luistert hij tot diep in de nacht naar zijn verhalen
en liederen. Hij kent alle ridders van de Ronde Tafel met hun
wapenschilden én avonturen. Boer worden wil hij niet. Dat
vindt hij te vuil en te zwaar. Sinds ik hem naar de Latijnse
school gestuurd heb, heeft hij niet veel interesse meer voor

het werk op het land en op de hoeve. Hij wil zo snel mogelijk bij een wapenmeester in dienst gaan om ridderwapens te leren hanteren. Zijn grootste wens is ooit door koning Arthur tot ridder te worden geslagen. Wel, hij kan vanavond zijn leerschool beginnen!'

De stem van de jonge boer klinkt een beetje spottend, alsof hij de toekomstdromen van zijn zoon niet ernstig neemt.

Een hoogopgeschoten, slungelachtige jongen met pukkels in zijn gezicht en lang blond haar staat met veel lawaai van de tafel op en gaat de ridder voor. Het is hem duidelijk aan te zien dat dit tegen zijn zin is, maar tegenspreken doet hij niet. Walewein glimlacht vriendelijk en wenst iedereen goedenacht. Eigenlijk weet hij niet wat hij ervan moet denken. Wordt die jongen met hem meegestuurd om te spioneren of om te helpen? Vertrouwen die mensen hem niet? Is hun vriendelijkheid berekend? Plots beseft hij dat hij helemaal aan deze boeren is overgeleverd. Zijn kleren hangen voor de open haard te drogen. Zijn paard staat in hun stal. Zijn harnas en zwaard liggen god weet waar! Hoe moet hij zich verdedigen als dit een valstrik is?

Toch stapt Walewein achter Ferguut de woonkamer uit en laat zich zijn slaapplaats aanwijzen in de voorraadschuur. Ondertussen heeft hij al iets verzonnen om zijn wapen terug te krijgen.

'Ferguut', vraagt hij, 'wil jij werkelijk ridder worden?'

Ferguut antwoordt niet. Hij bekijkt Walewein van kop tot teen. Dat deze schooier ervoor kan zorgen dat hij ridder wordt, daar gelooft hij niets van.

'Ja, heer, ik wil ridder worden', antwoordt Ferguut.

'Haal dan mijn harnas en zwaard en zorg ervoor dat ze tegen morgenvroeg opgepoetst zijn', beveelt Walewein.

Met slepende voeten gaat Ferguut naar buiten. Dit geeft

Walewein wat adempauze. Hij heeft nu wat tijd om rond te kijken. In deze voorraadschuur moet toch iets liggen dat hij eventueel als wapen kan gebruiken. Nog voor Walewein iets gevonden heeft, komt Ferguut binnen met het verroeste harnas en het zwaard. Meteen gaat hij op de grond zitten en met een oude lap begint hij het harnas op te poetsen. Walewein zit erop te kijken en hij beseft dat zijn achterdocht ongegrond was. De jongen doet het tegen zijn zin, zoveel is duidelijk, maar iets kwaads voert hij zeker niet in het schild. Deze mensen zijn écht gastvrij. Jammer dat hij hen moet teleurstellen. Maar hij mag echt niets vertellen. En in fantaseren heeft hij geen zin vanavond. Nee, achterdochtig hoeft hij niet te zijn. Hier kan hij op beide oren slapen. Maar voor hij daaraan begint, wil hij toch nog iets ophelderen.

'Ferguut,' vraagt hij terloops, 'waarom hebben jullie vanavond geen vlees gegeten?'

'Was het eten dan niet lekker, heer?'

De jongen trekt een niet-begrijpend gezicht.

'Toch wel!' haast Walewein zich. 'Maar waarom hebben jullie geen vlees gegeten?'

'Dat kan toch niet, heer', glimlacht Ferguut, zoals iemand die bereid is de dwaasheid van de ander door de vingers te zien. 'Het is nog te warm om al te slachten. Dat doen we pas na het Herfstfeest, als het vee naar de stallen wordt gedreven om te overwinteren. Als we nu de dieren slachten, gaat het vlees rotten en hebben we er niets aan.'

Walewein denkt na.

'Wie woont er in dat hutje, een beetje verderop'?

'Een zekere Bor,' puft Ferguut, 'een kerel van twaalf stielen en dertien ongelukken. Hij is eerst soldaat geweest, dan landarbeider en nu is hij de grootste zuipschuit en dief van het dorp. Waarom, heer? Kent u die man?'

Aan zijn toon is duidelijk te horen wat hij van Walewein denkt als die Bor zijn vriend zou zijn.

'Nee, nee', antwoordt Walewein haastig. 'Daarstraks ben ik voorbij dat hutje gereden en ik was gewoon nieuwsgierig.'

Wanneer Ferguut een poosje gewreven heeft, vindt Walewein dat het welletjes is.

'Het harnas ziet er al veel beter uit', zegt hij ernstig. 'Geef nu het zwaard maar eens een goeie beurt.'

Ferguut begrijpt er niets van.

'Het harnas is nog even roestig als daarnet, heer!'

'Daaraan kan je morgen verder werken. Poets het zwaard nog wat op en kom dan slapen!'

Maar wanneer Ferguut het zwaard in z'n handen neemt, valt zijn mond open van verbazing. Het lemmet blinkt als een spiegel. Het gevest is met schitterende stenen bezet. De kop van de Keltische draak is in het handvat verwerkt.

'Wauw!' roept Ferguut. 'Wat een prachtig zwaard. Waar hebt u dat vandaan, heer?'

'Ergens gekregen', antwoordt Walewein verstrooid.

'Maar dat is een zwaard van koning Arthur!' roept Ferguut enthousiast. Hier staat het, in het lemmet gegrift: *Arthur rex Waluwino dedit*.

Onmogelijk, denkt Walewein. Die slungel kent nog Latijn ook.

'Hebt u dit zwaard van Walewein gekregen?' dringt Ferguut aan. 'Of bent u zelf Walewein?' roept hij, alsof hij plots begrijpt wat hier gebeurt.

Walewein wordt zo rood als de avondzon. Als zo'n jongen van zeventien op eigen houtje ontdekt wie hij is, heeft het weinig zin dat te ontkennen.

'Jaja,' gromt hij, 'ik ben Walewein. Maar hou het stil, ik ben op geheime missie en ik zou niet graag hebben dat iedereen mij meteen herkent.'

Het humeur van Ferguut is helemaal omgeslagen. Dit is geen sukkelachtige ridder. Dit is Walewein, de neef van koning Arthur, de man die hem naar Camelot kan brengen.

'Heer,' vraagt Ferguut gejaagd, 'is het waar dat u op uw eentje het kasteel van koning Assentijn hebt veroverd om Ysabele te schaken? Bent u met haar getrouwd? En dat verhaal met Roches, de vos, is dat echt gebeurd?'

Walewein kan zich niet inhouden van het lachen.

'Jongen,' zegt hij, 'ik weet niet wie al die verhalen verzint, maar het moet een man zijn met een ontzettend grote duim. Zelf zou ik graag op die Walewein-uit-de-verhalen lijken, maar dat is helaas niet het geval. Ik ben een doodgewone ridder. Als ik hier vanavond bij jullie onderdak heb gevraagd, dan is het doordat ik voor de koning een karweitje moet opknappen dat mij het leven zou kunnen kosten.'

De mond van Ferguut valt open van verbazing.

'Dat is toch niet mogelijk, heer! Hebt u dan de wonderzalf niet meer waarmee elke wonde geneest? Zijn de ridders van de Ronde Tafel dan niet zo dapper als in de verhalen verteld wordt?'

Walewein zucht.

'Koningen en ridders zijn doodgewone mensen die soms dapper en dikwijls angstig of laf zijn. Wij beschikken niet over geheime krachten die ons onkwetsbaar maken.'

'Maar had koning Arthur dan geen wonderkracht toen hij het zwaard uit de steen trok en koning van Brittannië werd?'

'Er was geen wonderkracht, geen zwaard en geen steen!' zegt Walewein met klem. 'Wel veel wanorde, bloedvergieten en armoede. Na het vertrek van de Romeinse legioenen viel Brittannië uiteen in kleine koninkrijkjes. Die begonnen onderling te vechten en riepen zelfs buitenlandse stammen te hulp om hun vijanden te overwinnen. Het liep zo-

danig uit de hand dat elk normaal leven onmogelijk werd.'
'Daarover heeft grootvader nog verteld.'
'Toen riep Merlijn de voornaamste edelen van het land bijeen om een oplossing te zoeken voor het probleem. Allen waren het erover eens dat het land een koning nodig had, aan wie ze zouden gehoorzamen en die de wetten van het land kon doen eerbiedigen. Maar dat was gemakkelijker gezegd dan gedaan! Want, toen het op kiezen aankwam, wilde niemand voor de anderen onderdoen. Ieder was ervan overtuigd dat het koningschap hém toekwam en dat de anderen zich maar moesten onderwerpen. Bijna gingen de edelen in ruzie uiteen. Toen kwam Merlijn met het voorstel om de koning te kiezen volgens de oude Keltische gebruiken. Daarmee konden de heren uiteindelijk akkoord gaan. Ze zwoeren plechtig dat ze zonder aarzelen de koning zouden erkennen die op die manier was aangewezen. In heel Brittannië werd bekend gemaakt dat op het Lentefeest, wanneer het vee van de stallen terug naar de zomerweiden wordt gedreven, een nieuwe koning zou gekozen worden. Alle vrije Britse mannen werden uitgenodigd om naar Stonehenge te komen, want iedereen maakte kans om de nieuwe koning van Brittannië te worden.'
'En is koning Arthur daar tot koning gekozen?'
Walewein knikt.
'Na een nacht van waken en bidden heeft Merlijn zijn handen op het hoofd van Arthur gelegd. 'Volk van Brittannië, dit is uw nieuwe koning!' riep hij. Onmiddellijk stak er toen een gejuich op van duizenden mensen die de nieuwe koning toejuichten...'
'En het verhaal van het zwaard in de steen...' probeert Ferguut opnieuw.
'Allemaal verzonnen. Toen Arthur op die manier koning was

geworden en zijn hardnekkigste tegenstanders zich aan zijn gezag hadden onderworpen, begonnen de vertellers hun verhalen te verzinnen: over koning Arthur die tóch een koningszoon moest zijn en over die fabelachtige ridders van de Ronde Tafel. Maar dat is allemaal fantasie. De waarheid is dat koning Arthur zich naar aloude gewoonte in het begin omringde met tien mannen die hem in het bestuur van het land moesten bijstaan: een lijfwacht, een druïde, een rechtsgeleerde, een dokter, een dichter, een klerk, een muzikant en drie hofmeesters om de koning te bedienen en zijn bevelen door te geven. Maar na enkele maanden al bleek dat heel deze organisatie geen zoden aan de dijk zette. Wat doe je met een rechtsgeleerde, een dichter en een musicus wanneer iemand de vloer aanveegt met de koninklijke verordeningen? Iedereen bleef gewoon zijn zin doen en de grote heren spotten met het *koninkje* dat Merlijn over hen had aangesteld.

Arthur begreep al vlug dat het zo niet verder kon. Om zijn gezag te vestigen, om zijn onderdanen te beschermen en het recht te laten zegevieren, had hij echte vechtersbazen nodig, ridders die de opstandelingen en de rovers konden dwingen de wetten van het land te eerbiedigen.'

'En dat zijn de ridders van de Ronde Tafel geworden?'

'Juist. Heilige boontjes zijn wij dus niet, maar wij hebben wel gezworen de armen en de zwakken te beschermen tegen uitbuiters. Daarom ben ik hier vandaag. De koning heeft mij uitgestuurd om een roofridder te ontmaskeren die het land onveilig maakt. Wil jij mij daarbij helpen?'

'Natuurlijk, heer,' haast Ferguut zich. 'Maar dan neemt u mij toch mee naar Camelot om mijn opleiding tot ridder te beginnen?'

'Daar praten we morgen verder over', zegt Walewein streng.

'Het is te laat om daar nu nog over te beginnen. Ga als een trouwe schildknaap aan mijn voeten liggen en zwijg tot de haan ons morgen wakker kraait.'

[3]

Niet door het gekraai van de haan, maar door het blaffen van honden wordt Walewein gewekt. Zijn *schildknaap* ligt nog te snurken. Die is dat geblaf waarschijnlijk gewoon. Het is nog te vroeg om al naar Sagramort door te reizen, maar Walewein kan niet meer blijven liggen. Het is alsof deze kleine ruimte hem verstikt. Hij heeft de vrije lucht nodig om eens diep te kunnen inademen.

Wanneer zijn ogen zich aan de duisternis hebben aangepast, staat Walewein op van zijn strozak en schuifelt naar de deur. Het regent niet meer en de lucht is opgeklaard. De maan en de sterren staan te fonkelen aan de hemel. Overal hangt de doordringende stank van varkens- en kippenmest. En midden op het erf staat een enorme mestvaalt. Bah!

Van het erf loopt Walewein naar de weg. Hij geeuwt en rekt zich uit. Uitgeslapen is hij nog niet en eigenlijk wil hij terugkeren naar zijn strozak. Maar dan ziet hij een eindje verder enkele schimmen met brandende fakkels. Nieuwsgierig wandelt hij in de richting van het licht. Misschien is het een koopman in moeilijkheden of zijn het verloren gelopen pelgrims.

Op gehoorsafstand blijft hij staan.

'Komaan, vlug!' hoort Walewein bevelen. 'We hebben geen tijd te verliezen of we komen te laat op de afspraak.'

Mannen... afspraak? denkt Walewein achterdochtig. Wat is hier aan de hand? Zo voorzichtig mogelijk sluipt hij naderbij. In het schijnsel van de fakkel ziet hij een aantal gestalten die zich kleden en wapenen om ten strijde te trekken. 'Kom, mannen, we vertrekken!' hoort Walewein. Van achter een boom ziet hij dat de fakkeldrager zich op weg begeeft. Zeker tien anderen haasten zich hem te volgen. Walewein aarzelt. Hij kan deze gewapende bende volgen, omdat ze *misschien* iets te maken heeft met de roofridder. Maar zeker is dat niet. En hij is ongewapend en licht gekleed. Misschien achtervolgt hij wel een onschuldige schuttersvereniging op weg naar een tornooi. Dat risico neem ik dan maar, denkt Walewein. Zelfs al is er maar één kans op honderd dat die bende mij naar de roofridder leidt.

Moeilijk is de achtervolging niet. De brandende toorts is van ver zichtbaar, zodat Walewein geen risico's moet nemen. De groep trekt het bos in. Een hele tijd volgt Walewein op die manier de gewapende bende. Hij heeft er geen idee van hoe laat het is. Het zou kunnen dat de zon al opkomt, want tussen de bomen meent hij een lichtschijnsel te bespeuren. Gelukkig, denkt Walewein, want het licht van de toorts is al erg verzwakt. Om het spoor van de gewapende bende niet te verliezen, is hij verplicht dichterbij te komen.

Nog denkt Walewein aan zijn veiligheid, wanneer er plots twee zware pakken op zijn rug vallen. Hij stort voorover met zijn gezicht in het slijk. Voor hij iets kan ondernemen, wringt iemand zijn armen achter zijn rug en bindt ze vast. Een strop wordt rond zijn nek gelegd en aangespannen. Twee handen trekken een vuile zak over zijn hoofd.

'Zie je wel dat ik gelijk had!' hoort Walewein triomfantelijk roepen. 'Ik had al de hele tijd de indruk dat we gevolgd werden.'

'Wat doen we ermee?' vraagt een andere stem. 'Meteen ophangen?'

'Geen sprake van', zegt de eerste. 'We nemen hem mee naar de verzamelplaats. Misschien krijgen we van de baas een extra beloning voor het vangen van een spion.'

'Dat is geen spion', zegt een derde stem verachtelijk. 'Dat is een boer. Zie je dat niet aan zijn kleren?'

'Dat heb je goed gezien, Oswy', roept een ander. 'Maar nu moeten we verder. We hebben nog enkele mijlen te lopen en de baas wil dat we tijdig op de afspraak zijn. Sleur je gevangene maar mee. We zullen proberen er een speciale premie voor te krijgen.'

De rest van de tocht is een echte marteling voor Walewein. Met het touw om zijn nek wordt hij voortgetrokken, maar hij ziet niet waar hij zijn voeten zet. Dikwijls struikelt hij, tot groot plezier van zijn bewakers. Dan krijgt hij stokslagen en porren van alle kanten.

'Domme boer, sta op!' wordt er dan geroepen.

'Onnozele pummel, nu zie je wat ervan komt als je spionnetje wil spelen!'

'Trek zijn strop een beetje vaster aan, dan zal hij niet meer struikelen!'

Dit is de grootste vernedering die een ridder kan overkomen: gevangen genomen worden zonder dat hij de kans kreeg zich te verdedigen. En Walewein kan niemand anders de schuld geven: hij is er zelf zonder wapens op uitgetrokken. Hoe dom is hij toch geweest! Hij heeft zichzelf in nesten gewerkt. Er moet een mirakel gebeuren wil hij het er levend afbrengen.

Geroezemoes doet Walewein vermoeden dat ze de verzamelplaats bereikt hebben.

'We hebben een spion gevangen', roept die triomfantelijke

stem van daarnet weer. 'Een boer die ons achtervolgde.'

'Breng hem naar de grote baas!' wordt van verschillende kanten geroepen.

Walewein wordt meegetrokken.

'Heer, heer, we hebben een spion gevangen!'

'Zozo', hoort Walewein. 'Iemand die rijk wil worden door ons te verraden. Trek die zak maar van zijn hoofd, dan maak ik hem onmiddellijk een kopje kleiner.'

Wanneer Walewein eindelijk weer kan zien wat er gebeurt, staat er een prachtige ridder vlak voor hem. Zijn borstplaat schittert in de eerste zonnestralen en het zwaard dat hij trekt, is van wit staal, zoals enkel de rijke ridders zich kunnen veroorloven. Wie het is, kan Walewein niet zien, want zijn gezicht is verborgen achter een neergeslagen vizier.

'Boer, je gaat sterven', zegt de ridder zonder dat hij zijn slachtoffer zelfs maar bekijkt.

Walewein staat te trillen op zijn benen. Het is alsof hij voor een bodemloze afgrond staat, waar hij zo dadelijk zal invallen. Deze man veegt zijn broek aan alle conventies. Ridders doden elkaar niet, maar vragen losgeld om hun gevangenen vrij te kopen. Maar die roofridder weet natuurlijk niet dat ook hij een ridder is! flitst het door Waleweins hoofd. In deze kleren ziet hij er als een boer uit. Toch waagt hij nog een laatste gok.

'Als je een man van eer bent,' zegt Walewein met benepen stem, 'laat dan je gezicht zien en zeg mij tenminste hoe je heet.'

De ridder op zijn paard bekijkt de gevangene...

'Walew...!?' Het is alsof de naam hem ontsnapt zonder dat hij het wil.

Walewein herademt. Hij heeft een punt gescoord. Hij moet doorgaan en proberen de ander te overbluffen.

'Ja, Walewein, ridder van de Ronde Tafel. Wie ben jij dan wel dat je mij zo vlug herkent?'

De ander lacht spottend, keert zich van Walewein af en roept luidkeels: 'Mannen, we hebben iemand gevangengenomen waar we nog veel geld kunnen aan verdienen. Deze ridder is zijn gewicht in goud waard. En zijn koninklijke neef, de beroemde Arthur, zal dat betalen om hem vrij te kopen. Vandaag gaan we extra plunderen om deze blijde gebeurtenis te vieren.'

Het gejuich van de manschappen overstemt de woorden van de baas.

'Bind hem aan een boom en bewaak hem met vier man tot we terugkeren. Zorg voor wat proviand, want het kan een dag of twee duren voor we terug zijn. Hou hem goed in de gaten. Hij is uiterst gevaarlijk. Zelfs met een boom op zijn rug gaat hij nog op de vlucht! Nu is het de hoogste tijd om te vertrekken. Komaan, mannen, volg mij. Het feestcomité van Camelsforth staat ons al op te wachten!'

Terwijl vijftig mannen zich achter de ridder opstellen, wordt Walewein hardhandig aan een boom gebonden. Prettig is het niet, maar hij leeft tenminste nog en de touwen zorgen ervoor dat hij niet door zijn knikkende knieën zakt. In de komende uren heeft hij tijd zat om over zijn situatie na te denken.

[4]

Korte tijd nadat Walewein is vertrokken, wordt ook Ferguut wakker. Die is het gewend vroeg op te staan. Vòòr de zon opkomt, moeten de koeien gemolken zijn. De varkens, de kippen en het vee dat niet op de zomerweide staat, krijgen te eten voor de mensen aan hun ontbijt beginnen. Het verwondert Ferguut wel een beetje dat Walewein nergens te vinden is. Met een toorts gaat hij rond de boerderij. Hij kijkt in de waterput en gluurt overal waar hij zich bij gelegenheid zelf verstopt... Geen spoor van Walewein. Zijn zwaard en harnas liggen nochtans in de schuur. Zijn kleren hangen te drogen voor de open haard. Ver kan hij dus niet zijn, ver *mag* hij niet zijn, want deze Walewein is Ferguuts enige kans om aan dit boerenleven te ontsnappen en ridder te worden. Hij moet de ridder terugvinden!

Wanneer Walewein na een poos nog niet opdaagt, kan Ferguut niet langer wachten. Hij maakt de beste jachthond van het erf los en laat hem ruiken aan de kleren van de ridder. 'Zoeken, Pollux, zoeken', beveelt hij.

Even snuffelt de hond rond op het erf en loopt dan resoluut de weg op.

Walewein is zonder wapens weggegaan, denkt Ferguut. Er moet iets ergs gebeurd zijn. Anders gaat een man 's nachts niet weg zonder zijn zwaard! Ik moet hem achterna.

'Pollux, kom terug!' roept hij.

Hij gespt de borstplaat en de beenbeschermers van zijn heer aan, gordt het zwaard om en haalt het paard van Walewein uit de stal. Hij bindt een lang touw aan de halsband van de hond en springt op het paard.

'Pollux, zoeken!'

Snuffelend verlaat de hond het erf en loopt de weg op. Hij blijft aan de kant en loopt van boom tot boom. Het is net alsof Walewein iemand achtervolgde en zich af en toe achter een boom moest verstoppen, denkt Ferguut. Dan steekt de hond de weg over en loopt het woud in. Erg gerust is Ferguut niet. Het bos, dat is de plaats waar struikrovers verblijven. En de wilde dieren die het vee aanvallen. Hem is geleerd nooit alleen het bos in te trekken. Hij moet al zijn moed verzamelen om verder te gaan. Maar de gedachte aan Walewein die hem kan meenemen naar Camelot, doet hem alle voorzichtigheid vergeten.

In een bos is het wel rustig, maar nooit helemaal stil. Je hoort altijd wat. Krakende takken. Ritselende bladeren. Het gefluit of geroep van vogels. Maar wie zegt dat het echte vogels zijn en geen rovers die berichten doorgeven? En als die gedachte eenmaal door je hoofd spookt, dan wordt het minste geruchtje iets om van op te schrikken.

Natuurlijk gaat het beter als het zonlicht door het bladerdek breekt en Ferguut een duidelijker zicht krijgt. Maar als hij ooit ridder wil worden, zal hij moeten doorbijten en bewijzen dat hij nergens bang voor is. Stel je voor, een ridder van de Ronde Tafel die achter het vliegende schaakbord aanzit en niet verder durft wanneer dat schaakbord een bos invliegt. Nee, Ferguut, dan kan je beter thuisblijven en op de koeien letten.

Wanneer de hond na een lange tocht heftig aan het touw

begint te trekken, weet Ferguut dat hij zijn doel nadert. Dat doet Pollux altijd wanneer hij de fazanten of patrijzen voor zijn neus weet. Walewein kan niet ver weg meer zijn.

'Pollux, kom terug', fluistert Ferguut. 'En niet blaffen!'

Zelf springt hij van het paard en leidt het van het pad het bos in. Daar maakt hij het vast en sluipt met de hond naast het bospad verder.

Nauwelijks een boogscheut daar vandaan opent het bos zich in een prachtige open plek. Ferguut denkt aan een kerk die hij ooit gezien heeft. De bomen zijn de pilaren, de kruinen het gewelf. De lichtbundels vallen op de open plek alsof ze door glasramen gekleurd en gefilterd waren. Jammer eigenlijk dat hij nog zo weinig van de wereld gezien heeft. Misschien, als Walewein hem wil meenemen naar het hof van de koning en hij ridder wordt...

Ferguut wordt opgeschrikt door gelach en geroep. Voorzichtig schuifelt hij in de richting van het rumoer. Vier mannen zitten op de grond te dobbelen. Hun wapens liggen naast hen. Daar hebben ze nu geen belangstelling voor. Ze gaan helemaal op in hun dobbelspel.

Pollux gromt. Bruusk trekt Ferguut aan zijn halsriempje om hem te doen zwijgen. Maar dan ziet hij wat de hond heeft doen grommen: aan een boom achter de soldaten staat een man vastgebonden.

'Walewein', schrikt Ferguut.

Hij kan zijn ogen niet geloven. De grote, onoverwinnelijke Walewein staat daar aan een boom vastgebonden... in de kleren van Ferguuts vader! Is dit de man die op zijn eentje duizend soldeniers van koning Assentijn heeft verslagen?

Het grommen van de hond haalt Ferguut uit zijn dromen. Hij moet iets doen. Walewein bevrijden. Tonen dat hij bekwaam is om een dapper ridder te worden. Maar Ferguut beseft wel dat hij niet opgewassen is tegen vier soldeniers. Tenslotte is hij een boer. Hij kan met het zwaard zwaaien, ermee slaan, maar een echt zwaardgevecht leveren heeft hij nooit geleerd. Hij zal dus een verrassingsaanval moeten uitvoeren. Als Pollux hem daarin wil steunen, bestaat er een waterkansje dat de soldeniers verrast worden. En als het opzet mislukt, is hij nog jong en sportief genoeg om snel weg te spurten. In het hardlopen kan hij ze allemaal de baas. Hij is thuis de enige die een op hol geslagen paard kan terugbrengen!

Ferguut sluipt naderbij. Hij kan de mannen horen vloeken en lachen. Wacht maar, dat lachje zal wel in jullie keel blijven steken. Dan veert Ferguut op, laat Pollux los en schreeuwt: 'Mannen, ten aanval!'

Zwaaiend met het zwaard stormt hij vooruit, Pollux voor zijn voeten. Nog voor de soldeniers kunnen opspringen en naar hun wapens grijpen, hebben ze al een slag of een beet gekregen. Twee vallen met een lelijke hoofdwonde tegen de grond en staan niet meer op. Een derde levert een woest gevecht met Pollux. De vierde, die denkt dat de hele zaak verloren is, maakt dat hij wegkomt.

'Pollux, haal hem terug!' beveelt Ferguut.

Prompt laat de hond zijn eerste slachtoffer los en schiet achter de vluchter aan. Met een sprong duwt hij hem voorover en zet zijn tanden in de nek van de soldenier.

'Geef je over!' schreeuwt Ferguut.

'Ik geef me over, maar roep die hond terug!'

'Pollux, af!'

Verdwaasd krabbelt de vluchter overeind.

'Kom hier bij de anderen liggen en durf niet meer bewegen.'

Als een onhandige vogelverschrikker staat Ferguut te springen en met het zwaard te zwaaien. De soldenier ziet wel dat die melkmuil beter kan omgaan met een schop dan met een zwaard, maar die hond is veel te gevaarlijk. Die houdt alles in de gaten en reageert op elke beweging.

'Ferguut!' roept Walewein verheugd. 'Blij je te zien, jongen! Hak vlug de touwen door!'

'Zijn heer helpen is toch de plicht van elke schildknaap, heer!' roept Ferguut triomfantelijk.

'Hoe heb je mij gevonden?' vraagt Walewein, terwijl hij zich verder bevrijdt.

'Pollux heeft uw spoor gevolgd...'

'Uitstekend', onderbreekt Walewein hem. 'Maar nu moeten we vlug in actie schieten. Mag ik mijn zwaard terug?'

'Natuurlijk, heer', stamelt Ferguut.

'En mijn harnas? Waar is mijn paard gebleven?'

'Ik heb het een boogscheut hier vandaan achtergelaten.'

Ferguut had graag wat uitleg gevraagd, maar Walewein geeft hem die kans niet.

'We binden eerst onze gevangenen aan deze boom. Dan rijd jij zo snel mogelijk naar Camelot om de koning ervan te verwittigen dat ik een spoor gevonden heb in de zaak van de roofridder. Vraag aan de koning dat hij tweehonderd soldaten met je meestuurt. En breng Gringolette, mijn paard, mee en mijn volledig wapentuig. Kan jij van hieruit de koninklijke residentie vinden en naar hier terugkeren zonder verloren te lopen?'

'Zal moeilijk zijn', aarzelt Ferguut, 'maar van aan ons huis kan ik de weg wel vinden.'

'En terug?'

'Dat weet ik niet. Misschien als ik tekens aanbreng op de bomen?'

Walewein knikt.

'Hier', zegt hij, terwijl hij zijn halsketting over het hoofd van

Ferguut schuift. 'Met deze medaille zullen de schildwachten je onmiddellijk bij koning Arthur brengen.'

'Bij koning Arthur?' vraagt Ferguut opgewonden.

'Bij de koning zelf', herhaalt Walewein. 'Mag ik erop rekenen dat je deze opdracht naar behoren zal uitvoeren?'

'Komt in orde, heer!'

'Vertrek dan maar en zorg ervoor dat je zo snel mogelijk terug bent.'

Zonder nog om te kijken verdwijnt Ferguut met zijn hond tussen de bomen.

Wat hij nu moet beginnen, weet Walewein niet. Hij heeft Ferguut om hulp gestuurd, omdat die jongen nauwelijks in staat is een wapen te hanteren. Walewein bewaakt de gevangenen liever zelf. Maar wat nu? Het enige wat hij heeft, is zijn zwaard en een verroest harnas. Daarmee kan hij onmogelijk, op zijn eentje, die roversbende inrekenen. Hij kan enkel hopen dat de troepen van de koning vlug komen opdagen en dat die plunderaars zo lang mogelijk wegblijven. Eén keer oog in oog staan met de dood vindt hij wel voldoende voor vandaag. Dezelfde fout als die vier soldeniers wil hij niet maken. Hij moet een plaatsje zoeken tussen de struiken van waaruit hij de gevangenen én de open plek in het bos in het oog kan houden.

Maar eerst wil hij wat informatie uit die boeven loskrijgen.

'Wie is jullie aanvoerder?' vraagt Walewein bars.

Ferguut en zijn hond zijn erger te keer gegaan dan ik gedacht had, denkt Walewein. De gevangenen zijn blijkbaar nog niet bekomen van de verrassingsaanval. Eerst zal ik ze wat verzorgen. Een beetje vriendelijkheid kan geen kwaad als ik informatie wil..

'Wel', herhaalt Walewein, terwijl hij hun wonden probeert te

verzorgen. 'Wie is de ridder die hier de bevelen geeft?'
'We hebben hem nooit gezien!' flapt één van hen eruit. 'Hij
houdt zijn vizier steeds gesloten.'
'Leugenaar!' roept Walewein. 'Je wil mij toch niet wijsmaken
dat je op rooftocht gaat met iemand die je niet kent.'
'Rooftocht?' vraagt de ander. 'Wij gaan helemaal niet op
rooftocht. Wij verzamelden hier voor het schuttersfeest in
Camelsforth!'
'Er is vandaag helemaal geen schuttersfeest in Camelsforth!'
gokt Walewein.
'Wij trekken er juist naartoe om het te organiseren', probeert
de ander.
'En waarom word ik dan als spion gevangengenomen en aan
een boom gebonden?' vraagt Walewein strijdlustig. 'Heb jij
al eens spionnen gezien op een schuttersfeest?'
'En toch is het zo!' roepen ze. 'Je zal wel zien dat onze kameraden met even weinig terugkeren als ze vertrokken zijn! Wij
zijn geen rovers, wij zijn schutters!'
'Zoals jullie willen', zucht Walewein. 'Wie niet wil spreken,
moet maar helemaal zijn mond houden. Als de troepen van
de koning toekomen, worden jullie meteen opgeknoopt.'
Tegelijk grabbelt hij een handvol bladeren van de grond en
propt ze in de monden van zijn gevangenen.
'En als jullie nog iets willen zeggen, dan vreet je eerst die bladeren maar op!' roept Walewein boos.
Zonder zich om te draaien, verdwijnt hij tussen de struiken.
Oordeelkundig zoekt hij een plaatsje van waaruit hij de
gevangenen, de weg en de open plek in de gaten kan houden, zonder zelf gezien te worden. Erg gerust is Walewein
niet. Die gevangenen beweren dat hun kornuiten zonder
buit zullen terugkeren. En toch zijn het rovers, daar durft
Walewein zijn hoofd op verwedden. Maar wat doen ze dan

met de buit? Wordt die misschien ergens verstopt en na een paar dagen opgehaald? Of zijn er nog andere medeplichtigen die de buit in veiligheid brengen, terwijl de rovers zich als schutters voordoen? En wat te denken van Camelsforth? Ligt dat niet in het hertogdom van Bohort? En Bingham? Dat is een dorp in het graafschap van Galahad. Profiteerde de roofridder misschien van de afwezigheid van deze ridders om hun gebieden leeg te roven?

Er rest Walewein niets anders dan te wachten tot de rovers terugkeren. En hopen maar dat de koninklijke troepen hem net iets sneller te hulp zullen komen!

Als het van Ferguut afhangt, zal die hulp niet op zich laten wachten. Zijn eerste opdracht als schildknaap wil hij niet verknoeien. Maar het paard wil niet mee. Vergeleken met de *volbloeden* waarmee de ridders ten strijde trekken, is dit maar een *povere knol*. Je komt er natuurlijk mee vooruit, maar het gaat traag. Ideaal voor edele dames die willen uitrijden om naar de huizen en de bosjes te kijken. Maar dat is in de gegeven omstandigheden niet de bedoeling. Ferguut zou in de flank van het paard kunnen trappen of het dier met venijnige prikken opjagen, maar dat doet hij liever niet. Hij heeft teveel respect voor de dieren om ze zo op te jagen. Wel probeert hij het met zachtheid tot grotere spoed aan te manen. Hij streelt de nek, klopt vriendschappelijk op zijn flanken en fluistert zoete woordjes in zijn oor.

'Wij moeten Walewein ter hulp snellen. Een flink paard als jij kan toch beter! Laat eens zien wat je nog in je mars hebt en zet er een beetje vaart achter. We moeten zo snel mogelijk naar Camelot!'

Veel effect hebben die zoete woordjes op het eerste gezicht niet. Het paard loopt door in zijn eigen ritme, zonder zich van Ferguut iets aan te trekken. Maar op een tweesprong kiest het paard resoluut de rechterkant. Pollux, die snuffelend voorop loopt en de weg naar huis volgt, begint te blaffen. Ferguut wil aan de teugels trekken om het paard naar links te leiden. Maar net op tijd bedenkt hij zich. Wordt van een paard niet gezegd *dat het zijn stal ruikt*? Dat het de weg naar huis terugvindt, ook als zijn voerman of ruiter in slaap gevallen of buiten bewustzijn is? Het zou wel eens kunnen dat het paard ons langs de kortste weg naar Camelot brengt, denkt Ferguut. Ik waag het erop. En naar de hond roept hij: 'Pollux, stil. Volgen!'

Ferguut beseft wel dat hij een groot risico neemt. Als het paard zich toch vergist en ze rijden verloren, dan kan Walewein fluiten naar hulp. Maar het paard twijfelt niet. Op elke kruising, op elke open plek kiest het zonder aarzelen een bospad dat er volgens Ferguut net zo uitziet als de andere. En op elke kruising of open plek maakt de jonge boer inkervingen in de boomschors die hem op zijn terugweg naar de juiste plek moeten terugleiden.

De zon is nog niet onder, wanneer het bos dunner wordt en Ferguut de contouren herkent van de koninklijke residentie Camelot. Lang geleden is hij hier eens met zijn vader geweest. Zijn paard heeft het goed gedaan. Het dier zweet en blaast wolkjes stoom, zoals trekpaarden die een halve dag de ploeg hebben voortgetrokken.

'Uitstekend gewerkt, jongen', zegt Ferguut terwijl hij met zijn handen door de manen woelt. 'Ik zal aan de koning vragen dat hij je speciaal laat verzorgen vandaag.'

'Hé, zoek jij hier iets?'

Eén van de poortwachters houdt het paard tegen.

'Ik moet koning Arthur spreken', zegt Ferguut gejaagd.

'Zo,' lacht de soldaat, 'meneer *moet* de koning spreken...'

Hij draait zich om en roept naar zijn maats: 'Mannen, hier is een boerenkinkel die de koning *moet* spreken!'
Ferguut is op zijn tenen getrapt. Ten eerste is een vrije Brit geen kinkel. Ten tweede heeft hij al gedaan wat hij kon om hier zo snel mogelijk te komen. En nu zou hij kostbare tijd verliezen met de grapjes van een soldaat!
'Laat die flauwekul achterwege', zegt Ferguut beslist. 'Hier!'
Hij haalt Waleweins medaille van onder zijn wambuis.
'Dit is het teken dat Walewein mij gegeven heeft om zo snel mogelijk bij de koning gebracht te worden. Komt er nog wat van?'
Ferguut schrikt zelf van de toon die hij aanslaat. Als die soldaat nu ook agressief wordt, weet hij niet meer wat hij verder moet doen. Maar gelukkig is de soldaat nog meer geschrokken dan hijzelf.
'Pardon, heer, ik dacht... uw kleren... dat paard...'
'Zorg ervoor dat het paard drooggewreven en geborsteld wordt en dat het een ruif vers gras krijgt.'
'Zeker, heer.'
'En breng mij nu als de bliksem bij de koning!'
Onderdanig loopt de soldaat voor hem uit. Ferguut geniet van deze intrede. Poorten en deuren zwaaien voor hem open. Soldaten, huispersoneel, zelfs ridders kijken nieuwsgierig om wanneer hij met zijn hond over het binnenplein loopt. Dan een trap op en een klop op een dubbele deur. Een bediende maakt open.
'Hier is iemand die een boodschap van Walewein heeft voor de koning', meldt de soldaat.
'Walewein?' hoort Ferguut van achter de deur roepen. 'Is daar iemand die door Walewein gestuurd is? Breng hem onmiddellijk bij me!'
De bediende trekt de jongen binnen in een grote zaal. Over-

weldigd weet Ferguut niet waar hij eerst moet kijken. Naar het hoge plafond met de dikke balken? Naar de monumentale open haard? Naar de schilden die aan de muur hangen? 'Heeft Walewein je gestuurd?' hoort Ferguut vragen.

Een grote blonde man, ongewapend en onopvallend gekleed, komt naar hem toe.

'Ja, heer, met een boodschap voor koning Arthur.'

'Dan heb je de juiste man gevonden.'

'Bent u...?'

Ferguut is helemaal van de kook. Hij krijgt geen woord meer over zijn lippen. In de hoek van de zaal hoort hij gegiechel. Uit zijn ooghoeken ziet hij zeker tien vrouwen en meisjes die in een kring zitten met handwerkjes. Naar hen kijken durft hij niet.

'En wat is die boodschap van Walewein?' vraagt de koning vriendelijk.

'Walewein heeft een spoor gevonden in de zaak van de roofridder. Hij vraagt dat U tweehonderd soldaten zou sturen, met Gringolette en zijn wapentuig.'

'Waar is Walewein?' vraagt de koning.

'Ergens in het woud, op een kleine dagmars hier vandaan.'

'Dan hebben we geen tijd te verliezen. Hofmeester, blaas op de hoorn. Iedereen moet zich klaarmaken om te vertrekken. Guinevere?'

Uit de hoek van de zaal komt een vrouw naar de koning.

'Guinevere,' zegt Arthur, 'wil jij alles laten klaarmaken om eventuele gewonden te verzorgen? Ik vertrek onmiddellijk met de troep om Walewein te gaan helpen.'

'Nu nog? Het is bijna nacht!'

'Het kan niet anders, lieveling.'

Hij kust haar op de wang.

'Wees voorzichtig', fluistert ze.

'Kom, boodschapper', beveelt de koning. 'We gaan naar het mannenvertrek om ons klaar te maken.'

Tersluiks staat Ferguut naar de koningin te gluren. Ze knikt hem vriendelijk toe, terwijl hij achter de koning de zaal verlaat.

[5]

Walewein heeft het al danig op zijn zenuwen wanneer hij eindelijk beweging hoort in het bos: hoefgetrappel en blij gehinnik van een paard dat de geur van zijn meester opsnuift. Gringolette! denkt Walewein. Eindelijk. Ze zijn niets te vroeg. De zon staat al hoog aan de hemel en Walewein kan nog nauwelijks zijn ogen openhouden. De hele nacht heeft hij gewaakt. Voortdurend is hij op zijn hoede gebleven. Voor elk geluidje heeft hij zijn oren gespitst. Je weet maar nooit dat die roofridder eerder zou terugkomen.

Dan ziet hij Ferguut die op een koninklijk paard zit en Gringolette aan de teugels meevoert. De hond van Ferguut loopt grommend tot bij de gevangenen.

'Ferguut!' roept Walewein. 'Gelukkig ben je nog op tijd. Heb je mijn harnas mee?'

'Jawel, heer.'

Koning Arthur rijdt aan het hoofd van een twintigtal ruiters de open plek op, gevolgd door wel honderd boogschutters en ander voetvolk.

'Uitstekend', zegt Walewein tevreden. 'Schildknaap, ik draag de bewaking van de gevangenen weer aan jou over. Zorg dat ze niet ontsnappen.'

Terwijl Ferguut zich met zijn hond voor de gevangen rovers installeert, helpt Walewein de koning van zijn paard.

45

'Sire, ik was al bang dat u te laat zou komen. Die roversbende kan elk ogenblik terugkeren.'

'Heb je hun hoofdman herkend?'

'Jammer genoeg niet', antwoordt Walewein. 'Hij kende mij en zijn stem komt me bekend voor, maar zijn helm met het gesloten vizier vervormden zijn stem...'

Pratend verwijderen de heren zich. Ferguut hoort niet meer wat ze zeggen, maar eigenlijk interesseert het hem niet. Zijn hoofd zit nog vol van de gebeurtenissen van de laatste uren. Hij is op Camelot geweest! De koning heeft met hem gesproken. De koningin heeft tegen hem gelachen, heeft hem aangeraakt...! Wat hij altijd gedroomd heeft, is zomaar werkelijkheid geworden. Als dit zo doorgaat, wordt hij ooit nog ridder van de Ronde Tafel.

De stem van de koning brengt hem terug naar de werkelijkheid. 'Mannen!' roept Arthur, 'we gaan deze open plek omsingelen. Verstop je in het kreupelhout. De boogschutters op de eerste rij, daarachter het voetvolk. De ruiters dieper het bos in om eventuele vluchters te achtervolgen. Ik blijf hier in het midden. Als ik op de hoorn blaas, komen jullie in actie. Ingerukt!'

De soldaten verspreiden zich. De ruiters trekken zich terug op het bospad waarlangs ze gekomen zijn. Na enkele minuten herneemt het bos zijn gewone geluiden. Koning Arthur springt weer in het zadel.

'Ik wacht de schurken hier op', zegt hij. 'Walewein, trek je harnas aan, haal Gringolette en bescherm mij in de rug. We moeten die onbekende ruiter proberen te vangen.'

Nauwelijks zit Walewein in het zadel of ze horen in de verte beweging. Geen uitbundig lawaai, enkel het onvermijdelijke gekraak van takken wanneer tientallen mensen door het bos trekken.

'Sire, daar zijn ze!'
Strategisch trekken Arthur en Walewein zich terug onder de eerste bomen. Ze willen de hele troep op de open plek laten verzamelen en pas dan in actie komen.
Reeds rijdt de schitterende ridder zonder argwaan de open plek op. Achter hem volgen zijn soldeniers. Nog wacht koning Arthur om zich te tonen... wanneer er plots geschreeuwd wordt.
'Verraad, verraad, vluchten!'
Eén van Ferguuts gevangenen heeft zijn kameraden gewaarschuwd.
Het volgende ogenblik stuift de troep uiteen alsof ze in een wespennest hebben getrapt. De schitterende ridder gooit zijn lans weg, verliest zijn kapmantel, wendt de teugels en galoppeert weg in de richting van waaruit hij gekomen is. De soldeniers volgen zijn voorbeeld. Wat hen hindert op hun vlucht, laten ze vallen. Razendsnel spurten ze weg en verdwijnen in de struiken.
Koning Arthur heeft de tijd niet gehad om te reageren. Wanneer hij dan toch op de hoorn blaast, vliegt er een pijlenregen door het woud, maar de mannen voor wie die bestemd is, zijn nog nauwelijks te zien. Tegelijk komt het voetvolk overeind en zet de vluchters achterna. Walewein geeft zijn paard de sporen en zet de achtervolging in. Die roofridder wil hij vangen, al moet hij hem nazitten tot het einde van de wereld.   Maar zover geraakt hij niet. Het voetvolk loopt in de weg. Om hen te ontwijken stuurt Walewein zijn paard resoluut het bos in... waar het over een afgevallen tak struikelt en over kop gaat. Met een sierlijke boog ploft hij enkele meters verder tussen de bramen.
Koning Arthur snelt hem te hulp en trekt hem overeind.
'Gewond?' vraagt hij bezorgd.

Walewein schudt van neen en vraagt gejaagd: 'Waar is Gringolette? Ik moet achter die schurk aan.'

'Achtervolgen heeft geen zin', zucht koning Arthur. 'Die ridder kunnen we niet meer inhalen en het kleine grut verstopt zich toch in het kreupelhout.'

Ferguut is razend. Met zijn blote vuisten bewerkt hij de gevangene die het hele plan heeft doen mislukken. En niet alleen het plan, misschien wel zijn hele toekomst op Camelot.

'Laat de gevangene met rust', beveelt koning Arthur. 'Op Camelot krijgt hij een eerlijk proces. Walewein, blaas op de hoorn om de manschappen te verzamelen.'

Langzaam keren de ruiters en het voetvolk naar de open plek terug. Twee gevangenen hebben ze gemaakt. Niet veel, maar misschien genoeg om er de nodige inlichtingen uit te persen.

'Kom!' roept koning Arthur, 'we keren terug naar het kasteel.'

De soldaten en de ruiters vormen twee rijen en nemen de gevangenen van Ferguut over. Achter de koning en Walewein mag hij meerijden naar Camelot. En, alsof Pollux begrepen heeft dat zijn baas op weg is om ridder te worden, komt hij aangerend met in zijn muil de korte speer die de vluchtende ridder heeft achtergelaten...

[6]

Wanneer Walewein 's anderendaags wakker wordt, beseft hij wat hem de vorige dag is overkomen. Hij is van zijn paard gedonderd en onzacht op de grond terechtgekomen. Pijn deed dat toen niet. Buiten wat schaafwondjes had hij er geen last van. Maar nu voelt hij zich stram en stijf alsof een heel leger over hem is gelopen.

Terwijl hij kreunend uit bed stapt, probeert hij alles op een rijtje te zetten. Eén: de roofridder is geen arme drommel, maar een welvarende ridder die hem meteen herkend heeft. Twee: die kerel gaat op rooftocht in de gebieden van Bohort en Galahad. Hij weet dus dat die twee er niet zijn en dat hij in hun hertogdom ongestraft op rooftocht kan gaan.

Maar hoe krijg je die schurk te pakken? Hier op Camelot gedraagt hij zich waarschijnlijk zéér onschuldig. Op zijn gedrag zal wel niets aan te merken zijn en de kostbaarheden die hij steelt, verbergt hij beslist niet in het koninklijk slot. Hoewel? Op de keper beschouwd is Camelot de veiligste plaats die je kan bedenken. Geen schatkist is zo goed bewaakt als het koninklijk slot. En wie durft er ooit denken dat gestolen goed onder de neus van de koning verstopt zit?

Wanneer Walewein zich heeft aangekleed en uit zijn kamer komt, staat Ferguut hem al op te wachten.

'Goedemiddag, heer. Zal ik uw middagmaal halen?'

'Middag?' stamelt Walewein. 'Is het al middag?'
Ferguut lacht. 'Ja, heer, u was niet wakker te krijgen. U hebt
aan één stuk doorgeslapen tot nu.'
'En de zon staat al recht boven ons hoofd?'
'Al iets verder, heer. Zal ik uw middagmaal laten brengen?'
'Laat maar, jongen', zegt Walewein goedmoedig. 'Je hebt je
gisteren genoeg uitgesloofd. Kom, we gaan iets eten.
Ondertussen kan ik je uitleggen wat we vandaag gaan doen.'
Samen lopen ze de trappen af.
'Daarover wou ik net met u praten', zegt Ferguut aarzelend.
'Ik... Ik ben gisteren vroeg in de ochtend van huis vertrokken
en ik vrees dat mijn vader nu...'
'Weten je ouders niet waar je bent?' vraagt Walewein onge-
lovig.
'Nee, heer, ik heb onmiddellijk uw spoor gevolgd. Tijd om
mijn vader of moeder te waarschuwen, had ik niet.'
'Ziet er mooi uit', zucht Walewein. 'Dan moet jij vandaag
terug naar je dorp. Je ouders zullen wel erg ongerust zijn.'
'Zou het niet veiliger zijn', aarzelt Ferguut, 'als u... met mij...'
'Met jou mee naar huis gaan om de woede van je vader op te
vangen?' vraagt Walewein lachend.
Ferguut zwijgt en kijkt sip als een jongen die net een strenge
berisping heeft gekregen. Het liefst van al zou hij hier op
Camelot blijven, maar hij kan zijn ouders toch niet in de
onzekerheid laten, zelfs als hij weet dat zijn vader razend
kwaad zal zijn.
'Mijn vader is heel erg streng!'
Ja, dat heeft Walewein wel gemerkt. Eén blik van hem vol-
stond om de hele tafel stil te krijgen.
'Komt in orde, jongen', zegt Walewein, terwijl hij hem
vriendschappelijk op de schouder klopt.
Hij kent hem nog maar een paar dagen, en toch voelt Wale-

wein al veel sympathie voor deze zeventienjarige slungel. Zelf heeft hij geen kinderen en het vleit hem dat Ferguut aan hem hangt, alsof hij zijn vader was. Gisteren hebben ze nog lang samen zitten praten. Die jongen is verstandig, hij weet van aanpakken en al die flauwekul over de ridders van de Ronde Tafel zal hij wel snel doorzien en er zijn conclusies uit trekken.

Ondertussen zijn ze in een zaaltje naast de keuken aangekomen, waar de ridders en schildknapen die dat wensen 's middags een stevige maaltijd kunnen nemen. Andere meubels dan een tafel en enkele banken staan er niet. Op de tafel liggen een brood, kaas, worst en allerlei vruchten. Er staan ook enkele kruiken met melk, wijn en bier.

Een tiental mannen zit aan de tafel te eten.

'Goedemiddag.'

Aan hun kleren te zien, zes ridders en vier soldaten van lagere rang, schat Ferguut.

'Galahad!' roept Walewein blij verrast. 'Dat is lang geleden! Het doet mij genoegen je te zien! Hoe maak je het?'

De twee mannen schudden handen en kloppen elkaar vriendschappelijk op de schouders.

'Hoe is je missie verlopen?'

'Goed, ik denk dat we niet bang hoeven te zijn. Onze troepen hebben de situatie onder controle. De grens is veilig. Maar daarover ga ik verslag uitbrengen wanneer iedereen aanwezig is.'

'Dat zal nog een tijdje duren. Heb je het al gehoord van die roofridder?'

'Ja, de koning heeft mij gisteren ingelicht. Vandaag rust ik nog uit, maar vanavond of morgen trek ik er op uit. Lamorak is trouwens ook terug uit Ierland. Als wij helpen zoeken, zal de roofridder vlug gevonden zijn!'

Op dat ogenblik komt nog een andere ridder de eetzaal binnen.

'Bohort!' roept Walewein. 'Ben jij ook al terug?'

'Pech gehad', zucht de aangesprokene. 'Gisterenmiddag trapte mijn paard in een kuil en verstuikte zijn linkerbeen. Met moeite ben ik tot hier geraakt, anders had ik de nacht in open lucht moeten doorbrengen. En jij?' keert hij zich nieuwsgierig tot Walewein. 'Hoe komt het dat jij al terug bent?'

'Nog veel grotere pech gehad! Stel je voor. Ik heb oog in oog gestaan met die roofridder en door een stom toeval is hij mij ontsnapt.'

Bohort bekijkt hem ongelovig. De anderen stoppen met eten en schuiven dichterbij om het gesprek beter te kunnen volgen.

'Ja,' bevestigt Walewein, 'ik stond er niet verder af dan een paar meter.'

'En heb je hem dan niet herkend?'

'Jammer genoeg niet. Kijk, het zit zo...'

En terwijl de anderen ademloos luisteren, doet Walewein zijn verhaal over de vriendelijke ontvangst op de boerderij van Ferguuts ouders, de nachtelijke achtervolging, zijn gevangenneming, hoe Ferguut hem bevrijdde en de uiteindelijke mislukking van de onderneming.

'En vandaag ga ik Ferguut bij zijn ouders afleveren', besluit Walewein.

'In welk dorp woon jij dan?' vraagt Galahad aan Ferguut.

'In Lansburry, heer.'

'Dat is niet bij de deur. Dan zal je daar moeten overnachten', zegt Bohort tegen Walewein.

'Geen probleem. Het eten is er lekker, het stro mals, de mensen vriendelijk... en zo heb ik de kans een beetje rond te neu-

52

zen. Ik heb zo de indruk dat in sommige kleine hutjes van Lansburry wel eens interessante aanwijzingen zouden kunnen te vinden zijn.'

'Wel,' zegt Bohort, terwijl hij opstaat, 'succes ermee. Ik ga maar eens aan de slag. Met een ander paard hoop ik meer geluk te hebben. Trouwens', voegt hij er lachend aan toe, 'ik zou graag met de eer gaan lopen de roofridder gevangen te nemen. Als jij eropuit trekt, heb ik dus geen tijd te verliezen.'

'Om sneller te zijn dan ik zal je vroeger moeten opstaan!' roept Walewein hem na. 'Moge de beste winnen!'

'Adieu!'

Ook Walewein staat op.

'Ik moet er ook maar eens vandoor', zegt hij tegen Galahad en de anderen. 'Tot ziens!'

'Tot later.'

Ferguut loopt achter hem naar buiten.

'Ferguut,' zegt Walewein, terwijl ze de trap aflopen, 'ik ga me omkleden. Jij vraagt aan de kok twee broden, een flink eind worst en een stevige homp kaas. De tocht is lang en ik wil geen honger lijden. Breng ook een grote kruik bier mee. Daarna kom je naar de koninklijke stallen. Ik zie je daar over een halfuurtje.'

'Ik zal er zijn, heer.'

Wanneer Ferguut met zijn hond in de stallingen aankomt, staat Walewein hem al op te wachten. Niet de slonzige zwerver die betere tijden gekend heeft, maar de piekfijn uitgedoste ridder van de Ronde Tafel.

'Heer, u ziet er schitterend uit', zegt Ferguut vol bewondering.

'Mijn vermomming van gisteren heeft niet veel geholpen', antwoordt Walewein. 'De roofridder is toch ontsnapt. Deze keer ga ik goed gewapend en op Gringolette. Misschien heb ik zo meer geluk. Jij mag het paard nemen waar je gisteren op hebt gereden.'

'U bedoelt...'

'Het paard waarmee je naar het bos bent teruggekeerd. Klaar?'

'Tot uw dienst, heer.'

Walewein leidt zijn paard naar buiten en hijst zich in het zadel. Zijn stramme spieren doen pijn en hij moet op zijn tanden bijten om door te zetten. Er onmiddellijk invliegen, denkt hij, om mijn spieren soepel te maken.

Hij stuurt zijn paard over het binnenplein van het kasteel, richting ophaalbrug. Ferguut moet zich reppen om Walewein te volgen. Gringolette is een pijlsnel paard en Walewein maakt van de tocht naar Lansburry een echte wedstrijd. Maar aan Ferguut heeft hij geen gemakkelijke klant, want die is gewend met paarden om te gaan. Rechtstaand, voorovergebogen en met zijn gezicht vlak naast de nek van zijn paard, achtervolgt hij Walewein als een echte ruiter. Soms slaagt hij er zelfs in Walewein de pas af te snijden en hem enkele ogenblikken voor te blijven, maar lang kan zijn paard dat niet volhouden. Het verschil in klasse is werkelijk te groot.

Af en toe stoppen ze om iets te eten en de paarden te laten uitblazen, maar nog voor het vallen van de avond komen ze in Lansburry aan.

De jongen heeft gelijk gehad Walewein mee te vragen. Ferguuts thuiskomst is er enerzijds een van opluchting en blijdschap omdat hij veilig en wel thuiskomt, anderzijds van woede omdat hij zomaar weggegaan is zonder iemand te verwittigen. Sinds zijn vertrek staat het huis in rep en roer. Eigenlijk dachten zijn ouders dat hij door die vreemde ridder ontvoerd was. Het argument dat Walewein een ridder van de Ronde Tafel is, kan hen nauwelijks kalmeren. Een verstandig en hooggeplaatst ridder had toch beter moeten weten. Zeventienjarige jongens moet hij thuislaten in plaats van ze in gevaarlijke avonturen mee te sleuren.

Toch zijn de ouders ook trots dat hun zoon op Camelot is geweest, dat hij zich zeer dapper heeft gedragen en nu schildknaap mag worden! Normaal is dat voorbehouden aan zonen van edelen, ridders en herenboeren. En zij zijn kleine boeren die heel hard moeten werken om in leven te blijven. Als Ferguut af en toe wat geld opstuurt, kunnen ze misschien een knecht in dienst nemen om zijn werk over te nemen...

Uiteindelijk wordt er net voor het avondmaal vrede gesloten. Voorlopig blijft Ferguut bij zijn ouders wonen, want zonder hem kunnen ze de oogst niet tijdig binnenhalen. Over een paar weken, wanneer die zaak met de roofridder voorbij is en het meeste werk op het land achter de rug, zal Walewein Ferguut komen ophalen om hem zijn opleiding tot ridder te laten beginnen. En op kosten van Walewein mogen ze dan een knecht in dienst nemen. Ferguut heeft tenslotte zijn leven gered, en voor wat, hoort wat.

Om dat allemaal te vieren, komt er naast de papketel vers brood op tafel en een grote pan gebakken spek dat voor de gelegenheid uit het zout is gehaald. En voor de volwassenen een stenen pot heerlijk koel bier dat op de hoeve gebrouwen is. Ferguut moet nog eens vertellen hoe hij die vier rovers heeft uitgeschakeld. Hij raakt niet uitgepraat over Camelot en Walewein luistert alsof hij er zelf nog nooit is geweest. Het is gezellig rond de tafel.

Wanneer hij deze gezellige drukte ziet, begint Walewein zich een beetje schuldig te voelen, omdat hij die mensen zoveel last heeft berokkend. Is er niets waardoor hij dit goed kan maken? Lang moet hij er niet over nadenken. Hij zal morgenvroeg het bos intrekken en met een everzwijn of een hert terugkeren.

[7]

Wanneer Ferguut vroeg in de morgen opstaat om zijn werk op de boerderij te beginnen, wordt ook Walewein wakker. Dank zij het lekkere bier heeft hij een nacht lang heerlijk geslapen.

'Blijf maar liggen, heer', verontschuldigt de jongen zich. 'Ik ga mijn vader helpen met de dieren.'

'En ik trek op jacht', zegt Walewein vrolijk, terwijl hij van zijn strozak opspringt.

Nog voor Ferguut heeft kunnen vragen of hij mee mag, zegt Walewein kort en goed: 'Nee, vandaag trek ik er alléén op uit. De laatste dagen die jij hier op de hoeve doorbrengt, blijf je maar beter bij je familie.'

'Zoals u wil, heer.'

'Ik zou het wel op prijs stellen als je mij pijl en boog kon lenen', gaat Walewein verder. 'En mag ik Pollux een dagje lenen? Jagen met een jachthond is toch gemakkelijker... en zeg tegen je moeder dat ik het vlees voor het avondmaal meebreng.'

Daar moet Ferguut om glimlachen. Hij denkt dat Walewein visserslatijn spreekt en het vel van de beer al verkoopt voor hij geschoten is. Maar dat merkt Walewein niet eens. Hij is gehaast. Tijd om te ontbijten is er niet. Uit ervaring weet hij dat een jager het wild moet verschalken wanneer het nog slaperig naar de drenkplaats komt. Vlug kleedt hij zich aan, gordt zijn zwaard om en hult zich in een bruin-groene cape die hem moet toelaten min of meer onopvallend door het bos te trekken. Dan zadelt hij Gringolette, haalt Pollux uit het hondenhok en verdwijnt het bos.

'Tot vanavond!' roept hij nog, maar Ferguuts antwoord hoort hij al niet meer.

Vijfhonderd meter laat hij het paard zijn gang gaan tot het dier tot rust is gekomen. Ook Gringolette heeft dorst en wanneer het paard in alle kalmte de ochtendlucht opsnuift, zal het spontaan de richting van het water uitgaan. En precies dat is de bedoeling van Walewein: Gringolette moet hem zo dicht mogelijk bij het wild brengen.

Plotseling trekt Walewein aan de teugels. Hij heeft wat gehoord dat niet in het bos thuishoort. Hoefgetrappel, gedempt gepraat en voetstappen. Onmiddellijk springt hij op de grond en dwingt zijn paard en de jachthond te gaan liggen. Walewein beweegt niet. Durft bijna niet te ademen. Zijn gehoor staat op scherp. Zien doet hij niets, maar het geluid komt wel dichterbij. In zijn onmiddellijke buurt moet een pad zijn.

Voorzichtig tuurt hij tussen de takken door... Maar even snel trekt hij zijn hoofd weer in. De roofridder! Op een steenworp van hem trekt de roofridder met zijn bende in de richting van Lansburry!

Walewein wil zich geen tweede keer laten vangen. Geduldig wacht hij tot hij niets meer ziet of hoort. Gehaast moet hij trouwens niet zijn. Als ze dit pad volgen, dan hebben ze wellicht Lansburry uitgekozen voor hun volgende strooptocht.

Wanneer Walewein overeind komt, heeft hij zijn plan al gemaakt. In plaats van de bende te achtervolgen, zal hij door het bos naar het dorp terugkeren om de dieven daar op te wachten. Op zijn eentje kan hij zo'n grote troep natuurlijk niet de baas. Hulp halen is uitgesloten. Maar een verrassingsaanval kan misschien voor de nodige paniek zorgen. De dorpskern van Lansburry stelt werkelijk niets voor. Een klein kerkje, verscholen onder de kruinen van eeuwenoude beuken, een twintigtal graven en een linde waaronder recht wordt gesproken. Daarrond enkele boerderijen en hutjes van keuterboeren. Walewein begrijpt niet wat hier te stelen valt. In dit dorp wonen ten hoogste vijftig mensen. Op de boerderij van Ferguuts ouders heeft hij niets gezien dat het meenemen waard is! Tenzij de boeven het op het vee gemunt hebben.

Eerst wil Walewein zich achter het kerkje verstoppen, maar bij nader inzien vindt hij het beter de bende in de rug aan te vallen. Hij slaat dus de weg in naar het huis van Ferguut, want volgens zijn berekeningen moet de troep uit die richting komen. Hij rijdt langs een boerderij, en nog een... maar razendsnel moet hij zich achter de stallingen verbergen, want de roofridder komt het bos uit gereden en draait in de richting van het dorp.

Walewein trekt zijn zwaard, spant de teugels van zijn paard strak aan en wacht. Wanneer de bende voorbijgetrokken is, wil hij haar al schreeuwend in de rug aanvallen en uiteenjagen. En misschien kan hij de roofridder tot een tweegevecht dwingen.

Tevergeefs wacht Walewein op de voorbijtrekkende meute. Die had er al moeten zijn. Waar blijven die schurken toch? Voorzichtig ment hij zijn paard tot achter de stal. Over een korenveld ziet hij wat er aan de hand is. De roofridder staat midden op de weg, voor de boerderij van Ferguuts ouders. 'Omsingelen! Niemand laten ontsnappen. Iedereen buiten jagen!' schreeuwt hij.

Walewein ziet hoe de huurlingen vakkundig de boerderij omsingelen en de mensen naar buiten sleuren: Ferguuts ouders, grootouders, broers en zussen, zo van hun bed gelicht en nog helemaal in de war. Sommigen komen gewillig mee, anderen worden bij hun haren meegetrokken of met een mes in de rug voortgedreven.

'Is dat alles?' schreeuwt de roofridder.

De soldeniers antwoorden iets dat Walewein niet verstaat.

'Nee, er moet nog iemand binnen zijn. Ik weet het zeker! Keer terug en kijk overal, ook onder het hooi, in de tonnen, zelfs in de schoorsteen!'

Vijf van zijn trawanten lopen terug naar binnen. Een oude man die Walewein herkent als de grootvader van Ferguut, strompelt naar voor en begint met de roofridder te praten. Eerst luistert die, maar dan begint hij te roepen en te tieren. Een soldenier kwakt de stok van zijn lans in de maag van de oude man.

De vijf mannen komen terug naar buiten en gebaren dat ze niemand gevonden hebben. De roofridder is in alle staten.

'In jullie huis heeft een zekere Walewein, ridder van de Ronde Tafel, de nacht doorgebracht!' schreeuwt hij. 'Je krijgt één minuut om te zeggen waar hij verstopt zit.'

De mensen bekijken elkaar, halen hun schouders op, maar niet één die zijn mond opent.

'Zoals jullie willen!' schreeuwt de roofridder.

Hij geeft een teken. Twee van zijn handlangers springen op Ferguut, wringen zijn armen op zijn rug en sleuren hem tot bij de roofridder. Die trekt zijn zwaard en roept luid: 'Voor de laatste keer vraag ik jullie: Waar zit Walewein? Jullie kunnen kiezen: ofwel lever je mij Walewein uit, ofwel klief ik deze jongen met mijn zwaard doormidden. Wat zal het zijn? Denk er niet te lang over na...'

Geschreeuw van de vrouwen en Ferguuts vader die naar voor wil stormen, maar op dezelfde manier als de grootvader tegen de grond wordt gesmakt. En Ferguut, die als een gewond dier begint te janken en met overslaande stem om hulp schreeuwt!

Ik moet ingrijpen, denkt Walewein. Die roofridder komt niet voor Ferguut, maar voor mij! Hij moet Ferguut ter hulp snellen, want de roofridder zal hem zonder verpinken vermoorden. Walewein geeft zijn paard de sporen en stuift door het korenveld op de roofridder af.

'Hier is Walewein!', roept hij. 'Laat mijn schildknaap met rust en vecht tegen mij, als je durft, lafaard!'

Bliksemsnel draait de roofridder zich om en staat voor zijn uitdager. Beide ridders proberen hun kansen in te schatten. De roofridder draagt een metalen borstplaat, hij heeft zijn helm op. Hij is duidelijk beter beschermd dan zijn tegenstander, die gekleed is om op jacht te gaan. Zelfs als Walewein hem uit het zadel kan lichten, heeft de roofridder nog altijd zijn huurlingen om hem te beschermen. Walewein is beweeglijker, maar hij is ook veel kwetsbaarder. Hij moet proberen zijn tegenstander mee te lokken naar een terrein waar hij in het voordeel is, waar snelheid belangrijker is dan bescherming.

'Zo,' begint Walewein spottend, 'je hebt je vlug hersteld van je glorierijke vlucht. En je mannen zijn ook al terug op de been, zie ik. Je bent een lafbek. Je durft je niet te vertonen zonder die meute schorremorrie op je hielen. En dan slaag je er nog niet in mij gevangen te nemen! Je had natuurlijk gehoopt mij van mijn bed te lichten en zonder slag of stoot te kunnen vermoorden. Maar dat is mislukt. Kom mij maar halen als je mij wil hebben!'

De roofridder gromt.

Walewein is immers te paard, gewapend en zonder harnas niet te pakken in een achtervolging. Hij moet proberen hem dichterbij te lokken, binnen het bereik van zijn boogschutters.

'Voor iemand die geen geen kant op kan, heb je wel veel praat. Had jij misschien gedacht dat ik na zo'n flauwe preek onmiddellijk achter jou aan zou komen!? Trouwens, jij bent toch op zoek naar mij. Jij wil toch de roofridder vangen! Wel, hier ben ik!'

Zonder Walewein uit het oog te verliezen, buigt hij zich naar rechts, grijpt Ferguut bij zijn kraag en trekt hem voor zich op zijn paard.

'Als je mij wil aanvallen, dan moet je het hier en nu doen!' roept hij vrolijk. 'Zoals je ziet, is dit het geschikte moment. Kom op.'

Speels draait hij met zijn zwaard, zoals jongleurs doen die af en toe op Camelot een voorstelling geven.

Walewein is woedend. Hij kan niet aanvallen. De roofridder gebruikt Ferguut als levend schild. Toch slaat Walewein nog een dreigende toon aan: 'Als Ferguut iets overkomt, rijg ik je eigenhandig aan mijn zwaard!'

De roofridder lacht.

'Je begrijpt het niet, Walewein. Ondanks je krijgshaftige taal kan je niets beginnen. Ik heb tenminste mijn soldaten en een kudde gijzelaars. Maar jij staat er alléén voor, tenzij je koninklijke neef je nog maar eens ter hulp snelt.'

'Toch neem ik je vroeg of laat te grazen', valt Walewein uit.

'Veeleer laat dan vroeg!' buldert de roofridder. 'Tegen die tijd ben jij al lang een geraamte. En nu heb je genoeg gezanikt. Pak je weg. Keer terug naar Camelot en zeg dat je geen spoor van de roofridder gevonden hebt. Zolang jij je koest houdt en niet voor mijn voeten loopt, zal Ferguut leven. Zodra je me een strobreed in de weg legt, laat ik je zijn afgehakt hoofd bezorgen.'

Even wacht hij om zijn woorden te laten doordringen.

'Heb je dat begrepen, stuk ongeluk?' schreeuwt hij venijnig. Walewein is razend. Dit kan hij niet verdragen. Geen enkele ridder laat dergelijke grove beledigingen over zich heen gaan zonder te reageren. Maar hij kan niet. Aanvallen zou niet alleen betekenen dat Ferguut eraan gaat, maar bijna zeker overleeft hijzelf die aanval evenmin.

'Je zit in de hoek gedrumd', gaat de roofridder tergend door. 'Ik zal je even helpen op de vlucht te slaan. Boogschutters, bestook die nietsnut met jullie pijlen. Als hij niet vlug genoeg wegkomt, vellen we hem nog zonder dat ik mijn speer of zwaard hoef vuil te maken.'

De eerste pijlen zoeven hem rond zijn oren. Walewein beseft dat het menens is. Deze roofridder lapt alle regels aan zijn laars. Hij laat een ridder aanvallen door gewoon voetvolk! Woedend wendt hij zijn paard en diep voorovergebogen jaagt hij het dier het bos in.

'Zo,' zegt de roofridder, terwijl hij zich tot zijn gevangenen richt. 'Nu zien jullie zelf hoe dapper die Walewein is. Als een bange haas slaat hij op de vlucht voor wat pijltjes. Van die lastpost zijn we verlost en hij zal wel nooit terugkeren. Maar jullie moeten boeten, omdat je onderdak en gastvrijheid hebt verleend aan een lafaard.'

'Mannen!' roept hij tot zijn soldeniers, 'platbranden en wegwezen!'

Drie soldaten met smeulende fakkels lopen het huis en de schuur binnen.

'Mogen we de dieren niet meenemen, heer?' vraagt een soldenier.

De roofridder aarzelt.

'We hadden afgesproken dat er geen buit zou zijn vandaag', zegt hij koel.

'We kunnen ze beter meenemen dan ze hier te laten verbranden, heer!'

'Daar heb je gelijk in', zegt de roofridder tenslotte. 'Maar snel.'

Juichend stormen tien soldaten de stallen binnen.

De roofridder gooit Ferguut op de grond.

'Handen vastbinden, een strop om zijn nek leggen en een zak over zijn hoofd trekken. Zal hem leren de held uit te hangen! En jullie mogen tevreden zijn,' wendt hij zich tot de familie van Ferguut, 'dat ik jullie niet allemaal in je brandend krot opsluit. Stelletje boerenpummels!'

Met varkens, kalveren en een kleine kudde schapen die nog niet naar de gemeenschappelijke weide vertrokken is, komt de brutale bende uit de stallen gerend. Ze binden touwen rond de dieren om ze gemakkelijk te kunnen meetrekken.

Wanneer de drie mannen uit de gebouwen komen lopen en de eerste rook door het rieten dak opwalmt, geeft de roofridder het bevel tot de aftocht. Het touw waar Ferguut aanhangt, maakt hij aan zijn zadel vast.

Walewein is niet gevlucht. Hij is op zijn stappen teruggekeerd om de gebeurtenissen op de voet te volgen. Verscholen in het woud heeft hij gezien hoe de dieren uit de stallen geroofd en de gebouwen in brand werden gestoken. Hij heeft Ferguut in het bos zien verdwijnen. Onmiddellijk wilde hij toen naar voren schieten om te helpen blussen. Maar nog net op tijd heeft hij zich bedacht. Hoe vreselijk dat op het eerste gezicht ook kan lijken, hij mag die mensen niet ter hulp snellen. Iedereen moet de indruk hebben dat hij gevlucht is en de eerste dagen niet zal terugkeren. Dat is de enige manier om Ferguut te hulp te komen en het land van deze schurken te verlossen.

Wanneer de roofridder en zijn trawanten in het bos verdwenen zijn, komen de mensen van alle kanten aangelopen. Waar die zich tot nu verscholen hadden, weet Walewein niet. Zolang hij daar stond en de roofridder het hoge woord voerde, had hij geen glimp van andere mensen opgevangen.

Twee koeien en het paard van Ferguut worden nog uit de brandende stal gehaald. Walewein vermoedt dat het gros van het vee op de gemeenschappelijke weide graast. Het verlies aan dieren beperkt zich tot enkele varkens en een kleine kudde geiten en schapen die nog niet met hun herder vertrokken waren.

Ondanks de hulp van heel het dorp is de hoeve niet meer te redden. De emmers water die de mensen op de vuurgloed gieten, zijn niet meer dan een druppel op een hete plaat. Vooral de schuur die stampvol droog stro en hooi steekt van de voorbije zomer, vormt een toorts die de brandende strohalmen metershoog de lucht in blaast.

Walewein is er het hart van in. De ouders van Ferguut zijn opnieuw het slachtoffer geworden van hun gastvrijheid. Waarschijnlijk heeft Bor met de zaak te maken. Die heeft hem gisteren zien toekomen. Op een of andere manier heeft hij zijn baas gewaarschuwd en is de bende meteen in actie geschoten.

Ik moet zo vlug mogelijk iets doen om deze mensen te helpen, denkt Walewein. Door mijn schuld zijn ze in moeilijkheden geraakt. Over Ferguut maakt hij zich veel minder zorgen. Die is bijdehand genoeg om voor zichzelf te zorgen. Trouwens, denkt Walewein glimlachend, die boeven hebben een flater begaan, waar ze weinig plezier zullen aan beleven. Schapen en geiten laten met hun keutels een spoor achter dat zelfs een blinde zou kunnen volgen. Daarom is Walewein ook niet gehaast de bende te achtervolgen. Waarom zou hij risico's nemen?

Pas als er van de hoeve niets meer overblijft dan een hoop smeulende as en de familie van Ferguut onderdak gevonden heeft in een andere boerderij, verlaat Walewein zijn schuilplaats.

Wanneer hij het bospad bereikt waarlangs de bende vertrokken is, merkt hij onmiddellijk welke richting hij moet volgen. Toch laat Walewein zich door dit bolletjesspoor niet al te zeer in beslag nemen. Vorige keer hebben ze hem vanuit een boom te grazen genomen en dat zal hem geen tweede keer overkomen. Dus kijkt hij niet alleen naar de grond, maar ook omhoog, links en rechts. Geen enkel geluid ontsnapt aan zijn aandacht.

Lang blijft het spoor echter niet duidelijk. Een paar boogscheuten verder heeft de bende stilgestaan en is de grond platgetrapt. Een groot aantal voeten is rechtdoor gelopen, maar de geiten- en schapensporen verdwijnen in het bos. Vermoedelijk keren de soldeniers terug naar de verzamelplaats terwijl de buit in veiligheid wordt gebracht.

Maar wat is er met Ferguut gebeurd? Is hij meegestuurd met de buit of meegesleurd naar de plaats van samenkomst? Pollux loopt hier verloren in de veelheid van geuren. Walewein besluit de eerste mogelijkheid te kiezen en hij volgt de schapenkeutels het bos in.

Geregeld en zonder enige logica verlaat de bende de weg. Soms zwenkt ze af naar links, soms naar rechts. Eén keer waadt ze door een ven. Eerst denkt Walewein dat ze recht door het water trekt, maar noch aan de overkant, noch rechts, noch links is een doorlopend spoor te ontdekken. Walewein begrijpt er niets van, tot hij ontdekt dat die kerels gewoon een ommetje maken en in dezelfde richting vertrekken als ze gekomen zijn. Met takkenbezems hebben ze geprobeerd alle sporen uit te wissen, maar Walewein kunnen ze niet verschalken.

De ridder beseft dat hij in de buurt zit. Nog voorzichtiger dan voorheen volgt hij het spoor van de roversbende. Met zijn zwaard hakt hij een lange tak van een hazelaar en gooit die voor het paard op het pad. Onmiddellijk scheurt de grond open. Een speer schiet omhoog, lang en stevig genoeg om een paard te doorboren. Walewein staat aan de grond genageld. Wanneer hij beseft waaraan hij is ontsnapt, breekt het koude zweet hem uit. Zou hij niet liever terugkeren en hulp halen? Nee, dat kan niet. Het feit dat er valkuilen gegraven worden om nieuwsgierigen op afstand te houden, is het beste bewijs dat hij in de buurt zit.

Er is nog iets wat Walewein nieuwsgierig maakt: dit soort valkuilen met opspringende speren zijn een Saksische specialiteit. Britten maken gewoon putten met op de bodem enkele korte speren. Rekruteert de roofridder zijn manschappen tussen Britten én Saksen? Of is er een lek in de grensverdediging waarlangs hele groepen Saksen het gebied van de Britten binnendringen?

We zullen wel zien, denkt Walewein. Wat verder stoot hij op een palissade, grondig gecamoufleerd met bramen en netels. Een soort muur, vijf tot zes voet hoog. Vanop zijn paard kan hij er overheen kijken. Binnen die afsluiting ligt een plein twee keer zo groot als het binnenplein van Camelot, met vier langwerpige hutten. Verder staan er strooien poppen die gebruikt worden als oefenschijf voor speerwerpers en boogschutters. Misschien wel vijftig mensen zijn in volle bedrijvigheid. Sommigen oefenen met de wapens, anderen klieven houtblokken of staan gewoon wat te kletsen. Er zijn ook vrouwen bij en kinderen die geiten en schapen achterna zitten. Ergens tegen de afsluiting wordt een geslacht varken op een ladder overeind getrokken. Er staan zelfs een schandpaal en een galg! Dat is wel het toppunt, denkt Walewein vol afschuw, schurken die recht spreken over andere schurken! Soldaten in volle wapenrusting bewaken de poort en kijken af en toe over de schutting. Dit is geen voorlopige nederzetting meer, maar een écht legerkamp. Iemand rekruteert en traint soldaten. Maar waarvoor? Tegen wie wil die roofridder dan oorlog voeren? Walewein hoort Keltisch praten, de taal van de Britten, maar af en toe vangt hij ook een Saksisch woord op. Een vooruitgeschoven Saksische post kan het moeilijk zijn...

Wat is hier aan de hand? Is die roofriddergeschiedenis slechts een afleidingsmanoeuvre? Zit er meer achter dan gewoon wat roofriddertje spelen? Wanneer één van de soldeniers in Waleweins richting kijkt, stuurt de ridder zijn paard de struiken in en wacht. Het is niet zeker dat hij ontdekt is, maar je kan niet voorzichtig genoeg zijn. Hij houdt zich doodstil en denkt koortsachtig na. Het zou kunnen dat Ferguut hier gevangen zit. Hem op zijn eentje uit één van die hutten bevrijden is onbegonnen werk. Liggen de goudstukken en waardevolle sieraden waar die roofridder zo tuk op is ook in die hutjes? Komt hij naar hier om zich tot roofridder om te kleden? Dat is erg onwaarschijnlijk, denkt Walewein. Hij kan zijn identiteit onmogelijk geheim houden wanneer hij zich tussen zijn mannen omkleedt. Waarschijnlijk is dit de schuilplaats van de bendeleden. De roofridder zal wel een ander optrekje hebben, waar hij het goud verstopt en Ferguut als gijzelaar vasthoudt. Het is zelfs weinig waarschijnlijk dat zijn manschappen die plek kennen.

Hoe moet ik die dan vinden? denkt Walewein wanhopig. Misschien heeft de roofridder zijn manschappen tot hier vergezeld. Dan bestaat er een waterkansje dat hij een spoor heeft achtergelaten. Maar om dat te vinden zal Walewein heel de omgeving moeten afspeuren.

Onmiddellijk stuurt hij Gringolette dieper het bos in. Daar bindt hij zijn paard en Pollux aan een boom, keert terug naar de palissade en begint er omzichtig langs te sluipen. Die mannen zijn zo zeker van hun stuk, dat ze zelfs geen wachttorens hebben gebouwd. Reden te meer om aan te nemen dat de roofridder met deze schuilplaats weinig te maken heeft.

Terwijl hij door het bos trekt, ontwijkt hij zeker drie andere hinderlagen die hem stuk voor stuk het leven hadden kunnen kosten. Maar dat helpt hem niet veel vooruit. In het bos is niets te vinden dat naar de roofridder verwijst.

Walewein laat zich tegen een boom op de grond zakken en denkt ingespannen na. Eén: Ferguut is door de roofridder meegenomen. Maar eigenlijk kwam die niet voor Ferguut, maar voor mij. Wie kon weten dat ik in Lansburry de nacht zou doorbrengen? Galahad en Bohort en nog een vijftal andere ridders die het hem op Camelot hebben horen vertellen. Waarschijnlijk ook Lamorak die uit Ierland terug is en het nieuws op Camelot kan hebben opgevangen. Twee: waar heeft die roofridder zijn gijzelaar naartoe gebracht? Zo te zien zijn er drie mogelijkheden: Ferguut zit hier in dit kamp gevangen, de soldeniers hebben hem meegenomen, of de roofridder heeft hem op een geheime plaats opgesloten. Drie: wat kan ik doen om de zaak vlot te krijgen? Ik zou de koning kunnen verwittigen, dit kamp laten omsingelen en uitroeien, maar dan zal ik waarschijnlijk nooit te weten komen wie de roofridder is en het leven van Ferguut zou geen cent meer waard zijn. Nee, eerst moet ik Ferguut terugvinden en als die in veiligheid is, kan ik de roofridder aanpakken. Het opruimen van dit kamp komt pas op de derde plaats.

Walewein veert op. Hier blijven zitten heeft geen zin. Hij moet de omgeving nauwkeuriger onderzoeken. De enige die hem daarbij kan helpen is Pollux!

Voorzichtig sluipt hij naar de plaats waar hij Gringolette en Pollux heeft achtergelaten. Hij maakt de hond los en laat hem ruiken aan de pijlkoker en de boog die Ferguut hem deze morgen gegeven heeft. Dan trekt hij de hond mee en sluipt met hem in een wijde boog om het kamp. Wanneer ze aan een bospad komen, begint Pollux te grommen en aan zijn touw te trekken. Hij wil het bospad volgen, weg van het kamp.

'Heb je je baasje geroken?' vraagt Walewein.

Met zijn zwaard hakt hij een sint-andrieskruis in de bast van de dichtstbijzijnde boom en keert terug naar de plaats waar hij Gringolette heeft achtergelaten. Hij mag geen tijd verliezen. Wanneer het begint te regenen, worden de geursporen uitgewist en kan hij ook met Pollux niets meer aanvangen. En het zal niet lang meer duren voor de avond valt...

Hij springt op Gringolette achter de hond die zelfverzekerd het bospad volgt. Walewein blijft waakzaam, want er is weer iets anders dat hem bezighoudt. De geluiden van het woud worden langzaam maar zeker overstemd door het geklater van een rivier. Niet het water maakt Walewein bang, maar het feit dat water alle sporen uitwist. Het bos helt nu sterk naar beneden. Tussen bomen en dicht struikgewas wringt Walewein zich verder tot de paardenhoeven in het water plenzen en Pollux besluiteloos begint rond te drentelen.

Als die roofridder door het water gereden is, kan ik dat ook, denkt Walewein. Met zachte hand dwingt hij Gringolette om verder te stappen. Wanneer hij de bomen en struiken achter zich heeft gelaten en zijn paard tot aan de knieën in het water staat, heeft Walewein eindelijk zicht op de situatie. Hij staat in een riviertje dat uitmondt in een meer. In het midden van de plas ligt een eiland. En op dat eiland staat de ruïne van een toren. Ik ken deze plaats, denkt Walewein. Dat eilandje in het meer... Hier ben ik ooit geweest. Hier hebben wij nog gevochten om de Silures aan het gezag van koning Arthur te onderwerpen. In deze toren hadden de laatste tegenstanders zich verschanst. Toen de koninklijke troepen de toren hadden veroverd, troffen ze geen enkele verdediger meer aan. Via een onderaardse gang, waren ze allemaal ontsnapt. Toen hebben ze die onderaardse gang verkend, maar Walewein kan zich niet meer herinneren waar ze toen uitkwamen. En wie was er bij hem toen hij die vluchtweg verkende? Hij weet nog wel dat die gang half onder water stond. Maar in de volksverhalen werd dit de *zwarte toren*, een duistere plaats waaruit mensen op onverklaarbare wijze verdwenen. Een poort naar de hel. Begrijpelijk dat hier niet veel volk langskwam. Een ideale plaats voor een roofridder.

Het vermoeden van Walewein wordt bevestigd wanneer hij tussen de bomen een paard ziet grazen. Walewein durft er zijn hoofd op verwedden dat dit het rijdier van de roofridder is. Veiligheidshalve trekt hij zijn paard en de hond terug tussen de struiken. Hij zal een beetje stroomafwaarts gaan, de twee dieren daar achterlaten en dan naar het eiland trekken. Geruisloos laat hij zich in het water glijden en waadt naar het eiland. Het water is niet diep, maar wel koud genoeg om hem rillend uit het water te laten komen. Met zijn zwaard voor zich uit, sluipt Walewein naar de toren. Een kleine stevige deur, waar nauwelijks één man door kan, sluit de toren af. Op zijn eentje en zonder enige rugdekking dat gebouw binnendringen, is ronduit roekeloos. Maar Walewein heeft geen andere keuze. Er is haast bij. Vroeg of laat krijgt die roofridder toch in de gaten dat hij gevolgd werd. En dan is het leven van Ferguut geen stuiver meer waard. Walewein moet zo snel mogelijk die toren onderzoeken, zelfs als hij oog in oog met de roofridder komt te staan.

Met het heft van zijn zwaard begint hij op de deur te bonzen. Misschien hoort Ferguut hem wel als hij binnen zit.

'Ferguut!' schreeuwt hij. 'Ferguut!'

Vanuit de verte hoort hij: 'Hier ben ik!'

[8]

Met een forse duw in zijn rug wordt Ferguut tegen de stenen vloer gesmakt. Een deur klapt dicht. Een grendel knarst. Voetstappen verwijderen zich. Vaag hoort Ferguut iets als het rammelen van kettingen. Er wordt een toorts aangestoken. Ferguut herkent de geur. Het is nochtans nog lang geen avond. Wil de roofridder het gebouw in brand steken? Paniekerig wil Ferguut schreeuwen. Misschien zijn er mensen in de buurt die hem kunnen horen. Maar zullen die hem ook ter hulp snellen, zolang die zwaarbewapende ridder in de buurt is?

Wanneer er een tweede deur dichtslaat, wordt het muisstil in de toren. Ook de brandgeur verdwijnt. Ferguut komt langzaam tot rust en de gebeurtenissen van de voorbije uren vullen zijn hoofd. Hij is op het nippertje aan de dood ontsnapt. Het moment dat de roofridder zich klaarmaakte om zijn hoofd af te hakken... brrrr! Hij dacht van zichzelf dat hij dapper was! Dat hij, zoals de ridders in de verhalen, de dood met een verachtelijke blik tegemoet kon zien... Niks van aan! Hij heeft gejankt als een hond, in zijn broek geplast als een baby en gebeefd als een espenblad. En toen dook Walewein op. Gelukkig!

Sinds zijn vertrek uit Lansburry heeft de roofridder geen woord tegen hem gesproken. Heel de tijd is Ferguut aan een touw voortgetrokken. Gezien heeft hij ook niets door die zak over zijn hoofd. En wat hij opving, kon hij onmogelijk thuisbrengen. Eigenlijk was hij te bang om ergens op te letten. Heel de weg heeft hij met knikkende knieën en klapperende tanden afgelegd. Op een bepaald moment had hij het opnieuw erg benauwd gekregen. Rond de roofridder en zijn gevangene verzamelde zich een lawaaierige groep mannen, vrouwen en kinderen.

'Is het om op te knopen, heer?' hoorde Ferguut een stem vragen.

Enkele stevige armen grepen hem al vast om de daad bij het woord te voegen.

'Ik twijfel nog', antwoordde de roofridder. 'Het hangt ervan af wat zijn baas van plan is. Maar wees gerust, uitgesteld is niet verloren...'

'Zullen we hem hier gevangen houden?'

'Hoeft niet. Ik houd hem zelf wel in de gaten.'

Toen werd Ferguut weer voortgetrokken, weg van die lawaaierige bende.

Kort daarna verloor Ferguut zijn schoen. In de verwarring had hij het eerst niet opgemerkt. Maar even later liet de roofridder zijn paard draven. Om niet over de grond meegesleurd te worden, moest hij lopen, hard lopen. Hij stootte tegen takken, trapte in netels, distels en bramen. De pijn werd ondraaglijk. Maar dan vertraagde de roofridder weer wat, alsof hij een korte adempauze wilde inlassen om de marteling zo lang mogelijk te laten duren. Toen moest Ferguut door het water trekken, tot aan zijn middel. Tenslotte hoorde hij hoe de roofridder van zijn paard sprong, afzadelde en het dier liet loslopen. Ferguut werd een trap opgesleurd en op een koude vloer gegooid.

Wanneer hij niets meer hoort, probeert Ferguut recht te komen. Met zijn geboeide handen kan hij zelfs die zak niet van zijn hoofd trekken. Het enige wat hij voelt is de koude vloer. Door de jute zak ziet hij wel dat er licht binnenvalt door een langwerpige opening in de muur. Ferguut probeert recht te komen. Dan dringt het pijnlijk tot hem door dat er wat mis is met zijn linkervoet. Die heeft dringend verzorging nodig. Moedeloos laat hij zich terug op zijn zij vallen. Wachten is alles wat hij kan doen. Wachten tot die roofridder zijn hoofd komt afhakken. Alleen al het beeld van de ridder die het zwaard uit zijn schede trekt... Het lemmet dat blinkt in de zon... Ferguut begint weer te beven... Zijn hart bonkt in zijn keel. Dit is meer dan hij kan verdragen.

Om niet voortdurend aan die roofridder te moeten denken, probeert hij prettige herinneringen op te roepen. Toegegeven, het boerenleven vond hij maar niets. Zijn vader vond het best hem naar de Latijnse school te sturen. Dan kon hij kapelaan worden. Ridder worden is, zolang hij zich kan herinneren, altijd zijn eerste keuze geweest. Te paard het land afreizen. Niet als een slaaf in de aarde wroeten en voor *boer* uitgescholden worden...

'Ferguut!' hoort hij plotseling schreeuwen. 'Ferguut, ben je daar?'

Kent hij die stem? Die vervloekte zak over zijn hoofd belet hem zelfs behoorlijk te horen.

'Ferguut!'

Het is de stem van Walewein. Zijn beschermheer heeft hem gevonden!

'Hier ben ik! Kom mij helpen!'

Hij hoort het geluid van hout dat versplintert. Een dreun van iemand die een deur probeert in te beuken.

'Ferguut, houd goede moed, ik kom eraan.'

Krakend hout en voetstappen op de trap.

'Ferguut, waar ben je?'

'Ik weet het niet!'

Dan hoort Ferguut dat vlakbij een grendel wordt weggeschoven en dat een deur knarsend opengaat.

'Ferguut, ben jij dat?'

Hij voelt dat iemand de zak van over zijn hoofd trekt en het volgende ogenblik kijkt hij in het bezorgde gezicht van Walewein.

'Heer Walewein!'

'Ferguut, hoe zie jij eruit!'

Walewein trekt de jongen tegen zich aan. Ridders wenen niet, maar hiervan krijgt hij toch een krop in de keel. De jongen ziet er bleek uit en hij stinkt alsof hij in een aalput heeft gelegen, maar hij leeft nog. Gelukkig. Terwijl hij zelf overeind komt, trekt hij Ferguut mee recht.

'Auw!'

'Heb je je bezeerd?'

'Snijd de touwen door, alstublieft,' smeekt Ferguut, 'en laat mij mijn voeten verzorgen.'

Ferguuts voeten zien er helemaal bebloed en gezwollen uit. Walewein tilt de jongen op, daalt de trap af, wringt zich naar buiten en draagt hem tot aan het water. Daar verstopt hij hem onder de struiken en begint zijn voeten te verzorgen.

'Nu moet je eens goed luisteren', gaat Walewein op zakelijke toon verder. 'Ik heb nog wat te doen in die toren. Ik wil wel eens zien hoe die roofridder zich daar geïnstalleerd heeft. Jij blijft hier en je wacht tot ik terugkom. En maak van de gelegenheid gebruik om die vuile kleren uit te trekken en je een beetje te wassen. Begrepen?'

Ferguut knikt.

'Heer, hebt u niets te eten? Ik voel mij zo flauw.'

Nee, Walewein heeft niets te eten. Hoe lang is het trouwens geleden dat hij zelf nog iets achter de kiezen heeft gehad? Of toch wel! In de zadeltas van zijn paard moeten nog kaas en brood zitten. Misschien zelfs nog bier.

'Ik haal wat bij Gringolette.'

Hij waadt terug door het water en brengt Pollux mee om Ferguut gezelschap te houden. Dan sluipt hij voorzichtig naar de ingang van de toren. Opnieuw klimt hij de wenteltrap op tot aan de cel waarin Ferguut gevangen zat. Maar hij kan nog een verdieping hoger. Daar is nog een kamertje. Tegen de muur staat een eenvoudig bed. Walewein stapt voorzichtig naar binnen. Achter de deur hangen een bronzen borstplaat en een helm. Ook zijn zwaard heeft de ridder achtergelaten. Naast het bed staat een linnenkoffer. Walewein tilt het zware deksel op. Wollen ondergoed, kousen, vilten laarzen, zijden wambuizen, al wat een edelman nodig heeft om in het openbaar te verschijnen. Dat neem ik straks mee, denkt Walewein. Die kleren en laarzen zullen Ferguut en mij van pas komen. Maar nergens treft hij een wapenschild aan! Die roofridder heeft ál gedaan wat mogelijk is om zijn identiteit te verbergen.

Terwijl hij het deksel van de koffer laat dichtvallen, wordt zijn aandacht getrokken door iets wat onder het bed ligt. Een kleine molensteen zonder gat in het midden. Vreemd, denkt Walewein, wat verbergt die steen? Met al zijn krachten duwt hij hem opzij en langzaam wordt een gat in de vloer zichtbaar. Onmiddellijk steekt Walewein er zijn arm in. Hij voelt een linnen zak. Hij probeert hem op te tillen, maar hij moet helemaal onder het bed kruipen om het zware gewicht uit het gat te krijgen. Vlug maakt Walewein de zak open... Wat hij ziet, slaat hem met opperste verbazing: goudstukken, armbanden, ringen, gouden gespen en sluitspelden met schitterende stenen bezet. Hij ziet een zilveren ketting met een grote medaille eraan. SHERIFF OF BINGHAM staat erop. Hier is geen twijfel mogelijk. Dit is de schat die de roofridder de laatste paar weken heeft bijeen geroofd! Eén ring fonkelt schitterender dan alle andere. Een bloedrode steen zit kunstig in de gouden drakenkop verwerkt.

'Maar dat is de ring van koning Arthur!'

Eventjes staat Walewein perplex. Als de roofridder de koningsring gestolen heeft, dan is hij niet alleen een rover, maar dan heeft hij ook de bedoeling de koning van de troon te stoten om zijn plaats in te nemen!

Onmiddellijk komt Walewein overeind. De koningsring steekt hij aan zijn eigen ringvinger. In de linnen zak steekt hij ook nog de kleren van de roofridder en haast zich naar beneden.

Wanneer hij vanuit het kleine deurtje nauwkeurig de omgeving heeft afgespied, sprint hij snel tot bij Ferguut.

'Ferguut,' zegt hij buiten adem, 'we moeten hier zo snel mogelijk weg. Hier, droge kleren...'

'Is er zo'n haast bij, heer?'

'Ik denk het wel. De roofridder probeert de koning van zijn troon probeert te stoten!'

[9]

Het is al donker wanneer Walewein drie dagen later op Camelot aankomt. Zijn kleren zijn doorweekt van de regen en hij beeft als een espenblad. Hij laat Gringolette aan de staljongens over en loopt onmiddellijk naar zijn kamer. Daar wrijft hij zich warm, trekt droge kleren aan en begeeft zich naar de ridderzaal. De koning zit nog aan tafel, samen met de koningin en Galahad, Bohort en Lamorak.

'Walewein!' roept de koning. 'Kom erbij zitten en vertel ons het laatste nieuws. Heb je al gegeten?'

'Zal ik iets voor jou laten brengen?' vraagt Guinevere.

'Graag', antwoordt Walewein. 'Ik heb de laatste dagen niet veel te eten gehad.'

'Hoe komt dat?' vraagt Bohort.

'Tegenslag', zucht Walewein.

Maar hij heeft geen zin om daarover te vertellen.

'Hoe is het met je vader in Ierland?' vraagt hij aan Lamorak.

'Oud, maar nog niet versleten. Hij heeft enkele dagen het bed moeten houden, maar na een aderlating maakt hij het veel beter.'

'Walewein,' komt koning Arthur tussenbeide, 'waarom ontwijk je de vraag van Bohort? Wat is je overkomen dat je niet graag vertelt?'

Walewein zucht.

'Voor de tweede keer heb ik oog in oog gestaan met de roofridder... en ik heb hem weer niet kunnen grijpen', zegt hij bitter. 'Erger, hij heeft mij op de vlucht gejaagd. Ik ben vernederd. Mijn schildknaap heeft hij meegenomen en gedreigd hem te doden als ik hem nog voor de voeten loop.'

'En wat heb je dan gedaan?' vraagt Lamorak geïnteresseerd.

'Twee dagen rondgezworven. Ik durfde niemand onder ogen te komen.'

'Ik begrijp er niets van', zegt Arthur. 'Vertel op, man.'

'Wel,' begint Walewein, 'mijn schildknaap was van huis weggelopen zonder zijn ouders te verwittigen en...'

Van naadje tot draadje vertelt hij de gebeurtenissen van de voorbije dagen, maar hij rept met geen woord over de achtervolging, het kamp in het woud en de schuilplaats van de roofridder.

'En', besluit Walewein zijn verhaal, 'vanavond moet ik terug op pad. Naar Lansburry, om die mensen te beschermen. Stel je voor dat de roofridder nog een tweede strafexpeditie ver- zint, dan blijft er van het dorp niks meer over!'

'Jij bent niet meer in staat om vanavond nog uit te rijden', schudt de koning het hoofd. 'Bohort, mag ik jou vragen om met een vijftigtal soldaten naar Lansburry te trekken en al het nodige te doen voor de veiligheid van die mensen? Zorg dat ze eten en kleren krijgen en neem maatregelen om de hoeve zo snel mogelijk weer op te bouwen. Probeer hen ook een beetje gerust te stellen in verband met hun zoon...'

Enthousiast is Bohort niet, maar dit kan hij de koning niet weigeren.

'Ik stap maar eens op', zegt Lamorak. 'Ik val om van de slaap. Tot morgen.'

Ook Galahad vindt dat de dag lang genoeg geduurd heeft en samen met Lamorak verlaat hij de ridderzaal.

'Welterusten!'

Koning Arthur staat op van de tafel en gaat in een gemakkelijke stoel bij de open haard zitten. De koningin neemt een
handwerkje en installeert zich in een hoek naast de monumentale haard.

'Kom erbij zitten, Walewein', zegt de koning. 'Ik heb de
indruk dat jij mij nog iets te vertellen hebt.'

Walewein gaat vlak naast de koning op de grond zitten.

'Dat hebt u goed geraden, Sire', zegt Walewein.

Hij haalt de ring uit zijn zak en toont hem aan de koning.

'Maar dat is mijn koningsring!' roept Arthur ontdaan. 'Hoe
kom je daaraan?'

'Dat is een lang verhaal. U had het al geraden, Sire, mijn verhaal stopt niet met mijn vlucht in het bos. Ik heb die roofridder met zijn bende achtervolgd...'

Nu volgt de rest van zijn verhaal, over het soldatenkamp, de
toren, de schat en hoe hij die ring onder het bed gevonden
heeft.

Aandachtig heeft de koning naar zijn neef geluisterd en een
zorgelijke plooi trekt in zijn voorhoofd.

'Waar is Ferguut nu?' vraagt hij na een poos.

'Ik heb hem bij Sagramort in veiligheid gebracht. Hij was
duidelijk over zijn toeren na al wat hem overkomen is. Ik heb
een dienaar van Sagramort naar zijn ouders gestuurd om
hen te verwittigen dat hij het goed maakt. De buit van de
roofridder, zijn wapens en vermomming hebben we daar
ook verborgen. De roofridder moet onderhand wel weten
dat we hem op het spoor zijn.'

De koning knikt en kijkt voor zich uit.

'Walewein, denk jij wat ik denk?'

'Ik vrees van wel, Sire. De roofridder kan alleen iemand zijn
uit uw onmiddellijke omgeving...'

'Lancelot en zijn manschappen hebben enkele Saksen gevangengenomen die geronseld waren voor het rebellenleger van een zeer belangrijk ridder. Het is de bedoeling mij van de troon te stoten. Iemand wil mijn plaats innemen met de hulp van de Saksen.'

'En niemand die hem ooit gezien heeft?'

'Niemand.'

Zwijgend zitten ze in het vuur van de open haard te staren. En dan verschijnt er plots een glimlach op het gezicht van Walewein.

'Sire,' zegt hij, 'niemand heeft de roofridder ooit gezien, maar wel geroken!'

Niet begrijpend fronst de koning zijn wenkbrauwen. Walewein komt dichterbij en samen beginnen ze een lang gesprek. Het begint al te schemeren voor de twee mannen uitgepraat zijn en hun plan op punt staat.

[10]

Vier weken later zit koning Arthur met de koningin en zijn ridders aan de Ronde Tafel. Zoals afgesproken zijn de twaalf naar Camelot teruggekeerd om verslag uit te brengen. Ze hebben allemaal veel beleefd, maar buiten Walewein is er niet één die een spoor van de roofridder heeft ontdekt. Zelfs Bohort, die drie dagen in Lansburry is gebleven om de roofridder op te wachten, heeft hem niet te zien gekregen. Walewein moet dus uitgebreid vertellen wat hem is overkomen. Hoe hij twee keer oog in oog heeft gestaan met de roofridder, maar geen kans zag hem gevangen te nemen. Ondanks de hulp van Ferguut, die hem van de dood heeft gered.

'Wie is die Ferguut?' vraagt Tristan. 'Hebben we hem al gezien?'

'Dat is weinig waarschijnlijk', antwoordt Walewein. 'Hij is een boerenzoon uit Lansburry, die absoluut ridder wil worden en daar alles voor over heeft.'

'Waar is hij nu?' vraagt Lamorac geïnteresseerd.

'Hier in huis', antwoordt Walewein. 'Hij is mijn schildknaap geworden.'

'Kunnen we hem ontmoeten?'

'Natuurlijk', lacht koning Arthur. 'Trouwens, als de jongen goed zijn best doet, zal je hem nog vaker zien. Hij blijft hier op Camelot om opgeleid te worden tot ridder. Zijn ouders hebben enkele knechten gekregen om hem te vervangen. Breng Ferguut eens hier', zegt hij tegen één van de bedienden. 'Handig met de wapens is hij nog niet', gaat Walewein ondertussen door. 'Maar zijn hond heeft hem uitstekend geholpen. Een fantastische speurneus...'

'Kijk, daar is Ferguut!' roept de koning. 'Kom binnen, jongen.'

Slungelachtig komt Ferguut de ridderzaal binnengestapt. Maar zelfs zijn ouders zouden hem nauwelijks herkennen. Hij draagt zijden kleren en is overdadig behangen met allerlei sieraden. Hij gaat bijna gebukt onder gouden en zilveren kettingen. Zelfs de schitterende koningsring van Arthur draagt hij aan zijn vinger.

'Wat moet dit betekenen?' vraagt Keye. 'Waar haalt die jongen al die juwelen vandaan?'

'Dit is maar een klein deeltje van de schat die de roofridder heeft verzameld', antwoordt koning Arthur. 'Zijden kleren, gouden en zilveren sieraden waren zijn lievelingsbuit. Dank zij Ferguut hebben we het rovershol van die schurk ontdekt en de schat kunnen buitmaken.'

'Is de roofridder dan toch gevangen?' vraagt Galahad verbaasd.

'Nog niet, maar dat is voor vandaag', antwoordt de koning, terwijl hij opstaat en naar Ferguut loopt.

'Weten jullie nog dat, ongeveer een half jaar geleden, mijn koningsring niet meer te vinden was?'

Ja, natuurlijk, dat herinneren ze zich maar al te goed. Heel Camelot werd ondersteboven gehaald om het juweel terug te vinden.

'Die ring hebben we in de verzameling van de roofridder teruggevonden', vertelt Arthur.

'Hoe kon de roofridder de koninklijke ring stelen?' vraagt Tristan.

'Omdat hij hier op Camelot thuis is, zoals wij allemaal!'

'Sire, dat is toch niet mogelijk', probeert Keye. 'Zou één van uw eigen ridders een rover zijn?'

'Niet zomaar iemand van mijn ridders,' zegt de koning streng, 'ik zou zelfs zeggen: iemand van de ridders van de Ronde Tafel!'

'Wablief?' stamelen de ridders ongelovig.

De koning klapt in zijn handen en een lakei brengt een borstplaat, een helm en een zwaard binnen. Bewonderend fluiten enkelen tussen de tanden. Het is inderdaad een schitterende uitrusting die beslist een fortuin heeft gekost.

'Van de roofridder!' roept de koning. 'En onder deze helm heeft hij zich verstopt.'

'Heer, wie is het?' dringt Tristan aan.

Zonder te antwoorden klapt de koning voor de tweede keer in zijn handen. De dubbele deur zwaait open. Een bediende komt binnen met Pollux aan de leiband. In zijn muil draagt de hond de korte lans die de roofridder in het bos heeft weggegooid.

'Pollux, vooruit', fluistert Ferguut.

De hond legt de lans voorzichtig op de vloer en loopt snuffelend de ridderzaal binnen. Zonder de minste aarzeling stopt hij bij de helm en het harnas. Met opgeheven kop begint hij te blaffen.

'Pollux', zegt Ferguut, 'van wie zijn die lans en die helm?'

De hond begint alle aanwezigen te besnuffelen.

De ridders vinden dit natuurlijk reuzegrappig. Wat kan zo'n hond aan het licht brengen, dat zij niet gekund hebben? Wanneer Pollux bij Galahad komt, blijft hij staan, jankt zachtjes en loopt terug naar de openstaande deur. Daar neemt hij de korte lans in zijn muil, loopt ermee tot bij Galahad en legt ze voor de voeten van de ridder. Om te tonen dat zijn opdracht uitgevoerd is, gooit hij zijn kop in zijn nek en begint luid te blaffen. Muisstil is het geworden in de ridderzaal. Verbouwereerd kijken de ridders van Galahad naar de koning en weer naar Galahad.

'Dit is de lans die de roofridder in het bos heeft weggegooid', zegt Arthur met nadruk. 'Niemand heeft de roofridder ooit gezien. Maar de hond heeft hem aan zijn geur herkend! Galahad', gaat de koning plechtig verder, 'JIJ BENT DE ROOFRIDDER!'

Meteen zijn alle ogen opnieuw op hem gericht en Galahad zoekt een uitweg.

'Sire,' zegt hij met een beminnelijke glimlach, 'sinds wanneer is het geblaf van een hond voldoende om een ridder van de Ronde Tafel van zo een vreselijke misdaad te beschuldigen?'

Koning Arthur heeft dit blijkbaar verwacht en antwoordt even beminnelijk: 'Sinds het ogenblik dat de maker van dit zwaard en deze borstplaat jou als zijn opdrachtgever heeft herkend. Ik heb namelijk ook zelf een onderzoek ingesteld naar de roofridder en elk spoor leidt naar jou. Jij besteelt mijn onderdanen om wanorde en ontevredenheid te zaaien. Jij ronselt een rebellenleger van Britten en Saksen om tegen mij ten strijde te trekken. Lancelot en Walewein hebben elk een kamp ontdekt, waar jouw trawanten zich klaarhouden voor een opstand!'

'Sire!' valt Galahad uit. 'Ik was op inspectie aan de grens...'

'Daar heb je gelijk in. Je hebt eventjes de troepen geïnspecteerd, maar je bent ook over de grens getrokken om Saksische edelen te ontmoeten. En het is meer dan een maand geleden dat de bevelhebbers van de grenstroepen jou nog hebben gezien!'

'Heer, van al wat u mij ten laste legt, is niets waar. Ik ben een ridder van de Ronde Tafel. Ik eis een tweegevecht om mijn onschuld te bewijzen!'

'Niks van. Met een lans of een zwaard kan je je onschuld niet bewijzen. Moet ik nog verder gaan en al je schandalige streken openbaar maken?'

Galahad kijkt rond. Hij kan geen kant meer op. Van de ridders moet hij geen hulp verwachten, nu de koning zelf hem aanklaagt. Hem rest maar één mogelijkheid om uit dit wespennest te ontsnappen. Voor de anderen erop bedacht zijn, grijpt hij het zwaard en prikt het op het hart van koning Arthur. De koning verbleekt.

'Waarom grijp je naar het zwaard,' stamelt de koning, 'als je onschuldig bent?'

'In een koninklijke residentie waar ik vals beschuldigd word, wil ik geen minuut langer blijven.'

Sommige ridders lopen al naar de muur om een wapen te grijpen.

'Laat dat!' schreeuwt Galahad. 'Ik neem de koning mee als gijzelaar. Als mij iets in de weg wordt gelegd, zal Arthur het met zijn leven bekopen! Allemaal achteruit!'

De ridders van de Ronde Tafel staan perplex. Ze zien dat het Galahad menens is. Zo hebben ze hem nooit gekend. Hij was wel een brompot die op alles commentaar had, maar geen moordenaar. Wat is er in hem gevaren?

'Galahad', probeert Walewein, 'zou je niet beter ophouden met dit onzinnige spelletje en je overgeven...'

'Ik vind het jammer dat ik jou in het bos niet meteen het hoofd heb afgeslagen', vloekt Galahad. 'Maar wees gerust, uitgesteld is niet verloren. Wanneer ik hier terugkom als de nieuwe koning van Brittannië, dan ben jij als eerste aan de beurt om dertig centimeter ingekort te worden.'

'Galahad,' smeekt Guinevere, 'is dit...'

'Genoeg geleuterd. Plaats maken. Ik wil naar beneden!'

Met het zwaard duwt hij de koning naar de uitgang van de zaal, terwijl hij de aanwezige ridders met argusogen in de gaten houdt.

Maar er is één vechtersbaas in de zaal met wie hij geen rekening houdt. Pollux, die aan de voeten van Ferguut ligt, heeft alles nauwlettend gevolgd. Op het ogenblik dat de roofridder het dichtst bij hem is, schiet hij als de bliksem vooruit en bijt zich vast in de pols van de roofridder. Het zwaard valt uit Galahads hand. Onmiddellijk snellen de ridders toe om hun koning in veiligheid te brengen. Vòòr Galahad een ander wapen kan grijpen, hebben de soldaten hem al omsingeld met hun lansen.

'Pollux, af!' roept Ferguut.

Met duidelijke tegenzin laat de hond zijn prooi los en keert naar zijn baas terug.

Koning Arthur zucht diep. Lijkbleek valt hij op een stoel en wrijft over zijn hals en zijn hart alsof hij wil voelen of alles nog op zijn plaats zit. Guinevere komt toegesneld met een beker wijn. Langzaam krijgt de koning zijn kleur terug en in zijn volle lengte staat hij van zijn stoel op.

'Uitstekend gewerkt, Pollux', zegt hij met trillende stem. 'Jij hebt de koning gered en er zijn er niet veel die dat kunnen zeggen. Jij krijgt je beloning nog wel, maar eerst moeten we met Galahad afrekenen.'

'Met mij valt niet af te rekenen!' schreeuwt de roofridder. 'Ik krijg jullie nog wel als mijn soldaten dit rotkasteel komen belegeren!'

'Die kampen van jou worden opgedoekt. Jouw spel is uit', zegt koning Arthur droogjes. 'Wachters, sluit hem op in de toren. Morgen zullen we over zijn lot beslissen.'

Tierend van razernij wordt Galahad door de soldaten afgevoerd.

Verslagen blijven de ridders achter en fluisterend beginnen ze met elkaar de gebeurtenissen te bespreken. Eén van de twaalf was dus toch een judas! Wie had dat ooit durven denken! En de voorspelling van Merlijn is uitgekomen: een viervoeter heeft de roofridder ontmaskerd.

Als aan de grond genageld staat Ferguut in het midden van de zaal. Schaapachtig kijkt hij rond. Moet hij blijven staan? Mag hij weggaan?

'Ferguut,' zegt koning Arthur, 'je hebt goed gehandeld. Niet alleen de hond, maar ook zijn baas heeft zich voorbeeldig gedragen. Er is een stoel vrijgekomen aan de Ronde Tafel. Misschien word jij ooit weleens de ridder die de plaats van Galahad mag innemen. Ga nu.'

'Dank U, sire, dank u...'

En met een gelukzalige glimlach zweeft Ferguut de zaal uit...

[11]

'Ophangen!' schreeuwt Keye, terwijl hij met zijn vuist op de tafel beukt. 'En die straf is nog te licht voor iemand die zijn koning verraden heeft en de vijand binnen de grenzen probeerde te smokkelen!'

Koning Arthur zwijgt en laat Keye razen. Wanneer die in vorm is, kan hij in zijn verontwaardiging heel Camelot bijeen krijsen. Maar of de lawaaimakers het altijd bij het rechte eind hebben, is een andere zaak.

'Sire!'

'Wat heb je te zeggen, Walewein?'

'Ik ga niet akkoord met Keye', zegt Walewein beslist. 'Galahad heeft inderdaad een vreselijke misdaad begaan. De koning van zijn troon proberen te stoten om zelf heerser te worden en daarvoor de hulp inroepen van de vijand is wel het laatste wat een eerlijk man doet. Maar het is ook waar, Sire, dat hij jarenlang loyaal aan uw zijde heeft gestreden. Tellen dertig jaar trouwe dienst dan niet mee wanneer we moeten oordelen over leven en dood van een ridder van de Ronde Tafel? Kunnen we de beslissing niet enkele dagen uitstellen tot we een beetje afstand hebben genomen van de gebeurtenissen?'

De meeste ridders zijn geneigd het standpunt van Walewein te volgen. Ze begrijpen niet wat er in Galahad is gevaren om zo vreselijk tekeer te gaan. Is het niet beter hem een poosje op te sluiten? Misschien komt hij tot inkeer. Dat is toch beter dan een voortreffelijk ridder voorgoed uit te schakelen!

'Ik denk dat Walewein wijs gesproken heeft', besluit de koning de discussie. Wij zullen Galahad voorlopig in de toren opsluiten en over een paar dagen de zaak opnieuw bekijken. Nu zijn er dringender problemen die moeten worden opgelost.'

'De Saksen zitten nog steeds in ons land!' roept Lancelot.

'Juist', reageert Bohort prompt. 'En we moeten in actie komen voor bekend raakt dat de roofridder ontmaskerd is.'

'Laten we eens en voorgoed afrekenen met die Saksen!'

'Mannen!' onderbreekt koning Arthur hen, 'zo komen we nergens. Lancelot, jou heb ik naar de grens gestuurd om het doen en laten van Galahad na te gaan. Wat moet er volgens jou gebeuren?'

'Zo vlug mogelijk in actie komen, Sire. Waarschijnlijk heeft Galahad niet alleen geronseld onder het gewone volk, maar heeft hij ook verdragen gesloten met Saksische edelen die bereid waren hem te helpen - natuurlijk in ruil voor land en titels als Galahad koning werd. Wanneer die nu horen dat Galahad verslagen is, komen ze misschien in de verleiding om hun beloning zelf te komen halen. We moeten hen voor zijn en dat kan alleen als we onze grenstroepen massaal versterken.'

'En de Saksen die reeds in ons land geïnfiltreerd zijn, wat doen we daarmee?' vraagt Lamorak.

'Geloof mij, dat is klein grut vergeleken met het gevaar dat ons bedreigt vanwege de echte ridders. Maar ook dat mogen we niet onderschatten. Ik stel dus voor dat we gelijktijdig de kampen aanvallen én de grenzen versterken.'

Het gemurmel maakt duidelijk dat de ridders van de Ronde Tafel met dit voorstel akkoord gaan.

Wat de heren daarna te bespreken hebben, is zo geheim dat zelfs de dienaars en de schildknapen de ridderzaal moeten verlaten.

[12]

Drie dagen later staat Camelot in rep en roer. Kort na middernacht is iedereen van zijn bed gelicht met de zware stormklok. Brandende toortsen en een groot houtvuur op het binnenplein verlichten het kasteel. In ijltempo maken de ridders en soldaten zich klaar. Behalve de koning en zijn ridders van de Ronde Tafel weet niemand waar ze naartoe trekken, maar iedereen beseft wel dat er iets ernstigs aan de hand is.

Ferguut is samen met de anderen opgestaan. Drie dagen lang is hij de held geweest. Hij had Walewein gered en dankzij zijn hond was de roofridder ontmaskerd! Al de lof en de belangstelling die hij kreeg, hadden hem de pijnlijke momenten uit het verleden doen vergeten. Het was alsof de roofridder nooit met zijn zwaard boven zijn hoofd had staan zwaaien. Ontstoken voet? Nooit van gehoord!

Zo'n drukte heeft hij nog nooit gezien. Een uitrukkend leger bestaat niet alleen uit gewapende soldaten. Er moet ook een massa materieel mee, op karren gestapeld en voortgetrokken door ossen. Daarop liggen tenten, voedselvoorraden, levende dieren, zelfs een hele smidse om botte zwaarden en gebroken lansen te slijpen of te hersmeden. Gejaagd loopt Ferguut tussen deze wanordelijke troep.

'Walewein! Waar is Walewein?'

Hij wil absoluut vermijden dat Walewein zonder hem vertrekt.

'Walewein!'

'Die zit in de kapel te bidden, omdat hij het in zijn broek doet van de schrik', lacht een soldaat spottend.

Op die flauwekul wil Ferguut niet reageren en hij wurmt zich in de richting van de kasteeltoren. Wanneer hij eindelijk voor de deur van de slotkapel komt, stapt Walewein net naar buiten, volledig aangekleed en klaar om te vertrekken.

'Ah, Ferguut', groet Walewein hem glimlachend. 'Ben je al wakker?'

'Natuurlijk, heer. Wat zal ik meenemen? Hoelang blijven we weg? Welke wapens moet ik dragen?'

Walewein merkt dat Ferguut van heel de toestand niets begrijpt. Abnormaal is dat natuurlijk niet. Ferguut is hier pas. Hij kent de gewoontes van het huis nog niet, zeker niet de opwinding die bij het vertrek van een leger hoort.

'We trekken ten strijde', zegt Walewein ernstig. 'Maar het zou onvoorzichtig zijn jou nu al mee te nemen. Je kan nog niet goed genoeg met de wapens omgaan...'

'Heer,' onderbreekt Ferguut hem ontgoocheld, 'u trekt toch niet ten strijde zonder uw schildknaap! Wat moet ik hier doen zonder u?'

'Naar de wapenmeester gaan!'

'Nee, heer, doe mij dat alstublieft niet aan. Ik kan hier toch niet met de kinderen achterblijven! U hebt beloofd een ridder van mij te maken!'

Walewein kijkt hem glimlachend aan. Ferguut meenemen is niet ongevaarlijk. Hem hier achterlaten zou de jongen zo ongelukkig maken. In geval van nood is hij sterk genoeg om voor hen beiden te vechten. Schildknapen doen trouwens niets anders dan het paard van hun meester in bedwang houden. Echt aan het gevecht deelnemen, is er niet bij.

'Nu goed dan', zegt hij. 'Je mag mee als je belooft dat je altijd in mijn buurt blijft.'

'Dat is toch de taak van een schildknaap, heer!' roept Ferguut opgetogen. 'Zeg mij welke wapens ik voor u moet meenemen!'

'Niets van,' antwoordt Walewein, 'dat is het werk van mijn dienaren. Zorg jij maar voor stevig schoeisel, want we hebben een lange weg te gaan.'

Stevig schoeisel? denkt Ferguut. Ik heb geen andere schoenen. Hij denkt aan de pijn die de roofridder hem bezorgd heeft toen hij door het bos werd meegetrokken, maar dit is niet het moment om over schoenen te zeuren.

'En Pollux? Mag die mee?'

'Goed idee! Zijn snuffelneus kan ons nog van pas komen. Hier, hou mijn helm vast.'

Walewein loopt het binnenplein van het kasteel op.

'Mijn paard!' beveelt hij.

Een staljongen komt met Gringolette aanlopen. Drie mannen hijsen Walewein op zijn paard. Een ridder in volle wapenrusting is onkwetsbaar, maar je hebt bijna een ander paard nodig om hem in het zadel te krijgen. En wanneer hij van zijn paard gestoten wordt, kan hij op zijn eentje nauwelijks rechtkomen.

'Mannen!' roept Walewein, 'Verzamelen! We vertrekken!'

Langzaam vormen zich achter Walewein twee rijen die door de poort en over de ophaalbrug, het kasteel verlaten.

Met de helm van Walewein in de ene, het touw van Pollux in de andere hand, komt Ferguut achter zijn meester aangerend.

'Heer,' hijgt de schildknaap, 'waar trekken we naartoe?'

'Zal je wel zien, jongen. Kom hier maar naast mijn paard lopen.'

Erg moeilijk is dat niet. Walewein dwingt zijn paard traag te stappen om de troep de kans te geven zich te organiseren. Pas wanneer hij aan de rand van het bos komt, houdt hij halt en keert zich om naar zijn manschappen. Onmiddellijk achter Walewein rijdt een tiental ridders. Daarachter volgen de boogschutters met kruisbogen en een volle pijlenkoker. Dan, in rijen van vier, het voetvolk met hellebaarden en lansen. En om af te sluiten tien karren met proviand voor een legertje van driehonderd man.

'Waar trekken we naartoe, heer?' herhaalt Ferguut zijn vraag, terwijl Walewein zijn paard het bos in leidt.

De ridder bekijkt zijn schildknaap.

'Heb je het nog niet door?' vraagt hij geheimzinnig.

'Gaan we dat Saksische kamp in het woud aanvallen?'

'Juist. Terwijl de andere ridders van de Ronde Tafel naar de grens trekken, moeten Parcifal en ik de kampen van Galahad opsporen en vernietigen. We kennen er twee, maar misschien zijn het er meer en die moeten we proberen te vinden.'

'Dat is een gemakkelijke klus, heer', antwoordt Ferguut vrolijk. 'We zullen vlug terug thuis zijn.'

Walewein lacht om de voortvarendheid van zijn schildknaap. Maar zelf weet hij wel beter. Hij heeft het Saksische kamp met eigen ogen gezien. Ternauwernood is hij aan de venijnige en levensgevaarlijke hinderlagen van de vijand ontsnapt. Nee, Ferguut beseft niet welke moeilijkheden hen te wachten staan.

Walewein moet trouwens voortdurend op zijn hoede zijn. Misschien worden ze nu al bespied door handlangers van Galahad en bereiden die hun aanvallers een warm onthaal voor. Liever geen risico's nemen, denkt Walewein. Hij zegt tegen Ferguut: 'Zeg tegen de kapitein van de ruiterij dat hij verkenners uitstuurt.'

Ferguut loopt naar achteren en brengt de boodschap over. De kapitein schreeuwt enkele korte bevelen en vier ruiters stuiven het bos in. Een twintigtal hellebaardiers zet het eveneens op een lopen en verdwijnt tussen de bomen. Ferguut begint het allemaal geweldig spannend te vinden. Een leger, verkenners, misschien een onzichtbare vijand die van achter de bomen opduikt... en Walewein in volle wapenrusting. Eindelijk zal hij hem eens écht aan het werk zien. Maar dat duurt allemaal veel langer dan Ferguut heeft gehoopt. Aan de tocht door het bos lijkt geen einde te komen. Zijn enthousiasme is al flink bekoeld wanneer rond de middag enkele verkenners terugkeren.

'Heer,' roept één van hen, 'wij hebben het kamp gevonden!'

'Waar?'

'Een mijl hier vandaan, in de richting van de zon.'

Walewein stopt en steekt zijn linkerhand omhoog. De troep komt tot stilstand en de bevelhebbers van de afdelingen komen naar voor.

'De verkenners hebben het kamp gevonden', deelt Walewein hen mee. 'Eerst omsingelen. Vervolgens moeten de valkuilen en wolfsklemmen opgeruimd worden. Bij de eerste klaroenstoot komen de boogschutters in actie. Het tweede signaal is voor de hellebaardiers. Probeer niemand te laten ontsnappen. Verspieders, leid de afdelingen rond het kamp!'

Op dat ogenblik horen de bevelhebbers een dof geroffel, geschreeuw en gekletter van wapens.

'Van een verrassingsaanval zal geen sprake meer zijn', merkt Walewein droogjes op. 'We worden verwacht.'

De bevelhebbers keren naar hun soldaten terug en de troep verspreidt zich.

'Heer, met wie moet ik meegaan?' vraagt Ferguut.

'Jij blijft bij mij. Een schildknaap staat tijdens het gevecht dicht bij zijn meester. Geef me mijn helm nu maar. De strijd kan niet lang meer op zich laten wachten. We gaan dichterbij tot we het kamp kunnen zien.'

Hoe ze ook turen, een verdediger is er niet te bekennen. Walewein aarzelt. Hij weet hoe het kamp er van binnen uitziet en vermoedt dat de mannen achter de afsluiting verborgen zitten. Pijlen hebben weinig vat op hen en een stormloop van het voetvolk zal waarschijnlijk op een slachting van zijn eigen mannen uitdraaien.

Ferguut is eigenlijk een beetje teleurgesteld. Ondanks alles wat hij de laatste dagen heeft gezien, zit zijn hoofd nog vol van de onwaarschijnlijkste verhalen. Walewein zou nu zijn paard de sporen moeten geven, vooruitstormen, als een volleerd ruiter over de palissade springen en in het vijandelijke kamp dood en vernieling zaaien.

In plaats daarvan zit Walewein onbeweeglijk op zijn paard. Met strakgespannen teugels houdt hij zijn rijdier onder controle. Niets van wat in zijn omgeving gebeurt, ontsnapt aan zijn aandacht. Pas als de verspieders hem komen melden dat de hinderlagen opgeruimd zijn, komt hij in beweging. Hij wenkt de boodschappers.

'We veranderen de plannen', zegt Walewein op zachte toon. 'Meld de bevelhebbers dat we de aanval inzetten met vuurpijlen. We moeten proberen die verdedigingswal in brand te schieten. Pas daarna zal ik bevel geven voor een massale aanval. Begrepen?'

'Ja, heer.'

'Ingerukt!'

Een poos later wordt er over en weer gelopen tussen de voor- en de achterhoede. Potten met pek worden van de wagens geladen en tot bij de boogschutters gesleept. Een vuurmaker deelt brandende fakkels uit.

Weldra boren de eerste vuurpijlen zich in de houten wallen. Het vuur verspreidt zich razendsnel. In het kamp wordt blijkbaar een poging ondernomen om de brand te blussen, want er stijgen witte dampwolken op. Maar het is vruchteloos.

Lang duurt het niet voor de palen en droge takkenbossen in lichterlaaie staan. Op enkele plaatsen zakt de palissade in elkaar en stilaan wordt duidelijk wat zich in het kamp afspeelt. Enkele mannen hebben een kring gevormd rond de vrouwen en de kinderen en staan met speren en schilden klaar om de vijand op te vangen.

Walewein jaagt zijn paard vooruit om de situatie van dichterbij te bekijken. Hoeveel krijgers staan daar in het midden? Twintig, dertig? Het is niet eerlijk, denkt hij, met tweehonderd man voetvolk en tien ruiters een kleine groep krijgers met veel vrouwen en kinderen aan te vallen. Ik moet hen de kans geven zich over te geven en hun vrijheid af te kopen.

Behoedzaam laat hij zijn paard vooruit stappen. De hellebaardiers volgen en vormen een steeds nauwer wordende kring rond het Saksische kamp. Walewein stopt en steekt zijn hand op.

'Jullie zijn omsingeld. Ontsnappen is onmogelijk. Gooi jullie wapens neer en geef je over!'

Veel reactie komt er niet. De Saksen blijven even dreigend staan.

'Heer!' roept Ferguut, 'misschien verstaan ze geen Keltisch!'

'Dat dacht je maar', antwoordt Walewein.

En hardop herhaalt hij: 'Geef jullie over!'

Nog steeds komt er geen beweging in de Saksen.

'Dan moeten wij aanvallen', zucht Walewein met tegenzin.

Op dat moment weerklinkt op verschillende plaatsen in het bos tromgeroffel. Geschrokken kijkt Walewein op, maar hij heeft zelfs de tijd niet zich af te vragen wat er aan de hand is. De Saksen stormen naar voren. Ook de vrouwen zijn gewapend! Vanachter hun rug halen ze bogen en pijlen te voorschijn en mikken op de stomverbaasde soldaten van Walewein. De kinderen trekken katapulten en schieten stenen naar de vijand. Tegelijkertijd komen ruiters uit het bos aangestormd.

Walewein jaagt zijn paard het gevecht in. Met getrokken zwaard stormt hij schreeuwend vooruit, hakt op de Saksen in, vertrappelt wie zich niet tijdig uit de voeten kan maken. Ferguut is in de wolken. Eindelijk komt Walewein in actie! Eindelijk ziet hij hem zoals hij dat van een ridder van de Ronde Tafel verwacht!

Maar Ferguut is alléén achtergebleven. Zonder wapens. Zijn enige verdediging is Pollux. Maar wat heb je daaraan als geoefende strijders op je afkomen? Angstig kijkt hij om zich heen. Overal wordt gevochten. In een flits dringt het tot hem door dat hier mensen op de meest brutale manier worden afgeslacht. Zwaarden die hoofden en armen afhakken. Lansen die dwars door hals of hart gestoken worden. En dat geschreeuw en gehuil!

Pas dan bemerkt hij de boogschutter die net de pees van zijn boog loslaat. Een slag tegen zijn borstkas. Verbaasd merkt Ferguut dat een pijl tussen zijn ribben steekt. Een rode vlek op zijn wambuis wordt alsmaar groter. Hij wil om hulp schreeuwen, maar hij krijgt niets meer over zijn lippen. Angstig kijkt hij om zich heen. Het is alsof al die vechtende mannen plots onbeweeglijk staan. En dan, langzaam, heel langzaam, zoals woudreuzen die door houthakkers zijn geveld, kantelen de bomen, de paarden en de mannen. Dan wordt het zwart voor zijn ogen...

[13]

Eén droom keert altijd terug. Ferguut loopt in een weide op de flank van een heuvel. Hij weet niet wat hij op die weide komt zoeken. Hij wandelt er gewoon rond en kijkt naar de heuvelkam. Vanop de top komen kleine cilindervormige steentjes aanrollen. Niets om bang voor te zijn, ware het niet dat die stenen steeds groter worden en alsmaar sneller naar beneden komen. Ferguut zet het op een lopen, maar de stenen zijn veel sneller. Wanneer hij omkijkt, ziet hij een steen, zeker twee meter hoog, die op het punt staat hem te verpletteren. Maar op één of andere manier - Ferguut weet zelf niet hoe - ontsnapt hij telkens aan die steen. Zijn angst is zo groot, dat hij ligt te woelen in zijn bed en zweet als een paard.

Galiëne heeft moeite om hem in bed te houden. Met koude doeken wist ze het zweet van zijn voorhoofd en fluistert zoete woordjes om hem te kalmeren. Ze is erg begaan met deze jongen die er zo bleek en koortsig uitziet. Vijf dagen geleden heeft heer Walewein hem hier halfdood binnengebracht met een pijl in zijn borst. Walewein was er het hart van in dat zijn schildknaap er zo erg aan toe was. Met tegenzin heeft hij de jongen achtergelaten, maar pas nadat zijn oude strijdmakker Sagramort gezworen had voor Ferguut te zorgen alsof het zijn eigen zoon was.

Sinds die dag is Galiëne niet van Ferguuts bed geweken. De

eerste dagen lag hij onbeweeglijk. De chirurgijn had de pijl verwijderd, wijn en olie over de wonde gegoten en die keurig verbonden.

De derde dag begon Ferguut te woelen en te zweten. Galiëne wist wat dit betekende. De jongen vocht voor zijn leven. Twee dagen bleef zijn toestand kritiek, daarna werd hij kalm. Ferguut opent zijn ogen.

'Ben ik in de hemel? Ben jij een engel?' stamelt hij.

'Absoluut niet', glimlacht het meisje dat naast zijn bed staat. 'Je bent in het kasteel van Sagramort, een vazal van heer Walewein. Ik ben Galiëne, de dochter van Sagramort.'

Ferguut gelooft er niets van. Dat meisje is Jorun, zijn zus. Waarom zegt ze nu zoiets? Galiëne, Sagra... Wat heeft dat allemaal te betekenen? En die doffe pijn in zijn borst?

Voor hij een antwoord gevonden heeft, vallen zijn ogen weer dicht. Hij is nog helemaal onder de invloed van het kruidenmengsel van de chirurgijn.

's Middags wordt hij weer wakker.

'Waar ben ik?' vraagt hij opnieuw.

'In het kasteel van Sagramort', antwoordt het meisje dat nog steeds aan zijn bed zit.

'Hoe ben ik hier gekomen?'

'Je bent gewond geraakt tijdens een gevecht en heer Walewein heeft je hier voor verzorging binnengebracht, samen met je hond Pollux', probeert Galiëne hem uit te leggen.

Ferguut fronst zijn wenkbrauwen alsof hij heel diep nadenkt. Langzaam begint een lichtje te branden.

'En waar is Pollux?'

'Bij de jachthonden van mijn vader. Hij heeft ook een lelijke trap gekregen, maar hij is er al bovenop. Heb je geen honger?' vraagt Galiëne bezorgd. 'Zal ik iets uit de keuken halen?'

Ferguut haalt de schouders op.

'Ik maak een hartige soep', zegt het meisje geestdriftig. 'Daar kikker je wel van op.'

Ferguut kijkt haar na wanneer ze de kamer verlaat. Wat bezielt dat meisje dat ze zo voor hem in de weer is? Zijn gedachten springen nog van de hak op de tak. Van een gevecht waarin hij gewond zou zijn, herinnert hij zich niets. Wel dat hij te voet uit Camelot is weggetrokken, maar wat is er verder met hem gebeurd? Trouwens, waar is hij gewond? Daar krijgt hij onmiddellijk antwoord op wanneer hij probeert recht te komen en een vlijmscherpe steek in zijn borst voelt. Hij zakt terug in de kussens en betast zijn lichaam. Zijn bovenlichaam is helemaal ingepakt...

Knarsend gaat de deur open. Galiëne komt binnen met een soepbol in de hand en wel tien mensen achter haar aan.

'Ferguut,' zegt ze vrolijk, 'mijn familie komt eens kijken hoe je het maakt.'

Een man komt naar voor.

'Ik ben Sagramort', zegt hij, 'de meester van deze kasteelhoeve. Dit is Isolde, mijn vrouw, en dat zijn onze kinderen.'

Ferguut probeert beleefd te glimlachen.

'Enkele weken geleden ben je hier nog geweest, toen Walewein je in veiligheid moest brengen voor de roofridder. Herinner je je dat nog?'

Nee, dat herinnert Ferguut zich niet.

'Je ziet er al veel beter uit', zegt Isolde. 'Galiëne heeft de hele tijd voor jou gezorgd.'

'Dank u', fluistert Ferguut.

'Je bent onze gast en je mag hier zo lang blijven als je wil.'

Isolde ziet dat de ogen van de jongen weer dichtvallen.

'Je zal nog veel moeten rusten', zegt ze.

Maar Ferguut hoort het al niet meer.

Is het door de goede zorgen van Galiëne of gewoon omdat hij jong en gezond is? Ferguut geneest alsof hij met wonderzalf is ingestreken. Langzaamaan keren ook de herinneringen terug aan Walewein en aan Camelot en aan dat kamp in het bos. Maar de pijl die op hem werd afgeschoten en hoe hij in dit kasteel is terechtgekomen, blijven een zwart gat in zijn herinneringen. Het is alsof er enkele dagen uit zijn leven ontbreken.

Drie weken later komt Ferguut voor het eerst weer buiten. Galiëne heeft voor hem een rustbed op het erf laten plaatsen. Ferguut ligt te genieten van de herfstzon. Hij kijkt naar de bedrijvigheid in het kasteel.

'De hoeveelste maand zijn we?' vraagt hij aan Galiëne.

'De zevende. Ik vrees dat we van de laatste mooie dagen aan het genieten zijn.'

'Nu halen mijn ouders, broers en zussen de oogst binnen', mijmert hij.

'Heb je spijt dat je er niet bij bent?'

'Eigenlijk niet. Ik houd niet van het boerenleven. Maar ik mis mijn broers en zussen wel. Hoewel wij hard moeten werken, maken we toch veel plezier.'

's Avonds, als heel de familie in de grote zaal zit en vetkaarsen de ruimte verlichten, worden de Latijnse woordjes geleerd en de taken gemaakt. Dan is Ferguut de ideale helper. Zijn adviezen bij thema's en vertalingen leveren gegarandeerd goede cijfers op.

'Ferguut, kom mij eens helpen, ik begrijp er niets van!' is 's avonds de meest gehoorde uitroep.

Op zulke momenten loopt Ferguut naast zijn schoenen van trots. Hier in deze chique kasteelhoeve hebben ze hem, de eenvoudige boerenjongen uit Lansburry, nodig.

'Hoe komt het dat jij Latijn geleerd hebt?' wil Galiëne weten.

'Mijn vader dacht dat ik een goede kapelaan zou zijn...'
Achter haar harp zit Galiëne dromerig te glimlachen.
'Waarom lach je?' vraagt Ferguut. Een werksters flapt eruit: 'Het zou jammer zijn als jij kapelaan werd, mooie jongen.'
De vrouwen schaterlachen, Ferguut wordt hoogrood en kijkt snel de andere kant op. Ze spelen een spelletje met hem. Boos wil hij weglopen. Maar dan bedenkt Ferguut dat hij het bij het verkeerde eind heeft. Galiëne heeft wekenlang voor hem gezorgd. Nu nog ziet ze erop toe dat hij niets te kort komt. Hij kan echt met haar praten alsof ze zijn beste vriend is. Nee, de vrouwen spotten niet met hem, ze plagen hem gewoon.

Van Walewein is ondertussen niets te zien en de berichten die op de kasteelhoeve toekomen, zijn allesbehalve rooskleurig. Rondtrekkende zangers vertellen dat de totale oorlog met de Saksen is uitgebroken. Galahad had inderdaad verdragen gesloten met Saksische edelen. En die hebben de troepen van koning Arthur aangevallen om alsnog hun beloning te bemachtigen. Maar succesrijk waren ze niet: de Saksen moesten wijken in deze verschrikkelijke winteroorlog.
De gekste verhalen doen de ronde over Walewein. In Guildford zou hij een halfbevroren rivier zijn overgestoken om een Saksisch leger op de vlucht te jagen. Zelfs toen het ijs onder de paardenhoeven brak, dwong hij Gringolette van ijsschots op ijsschots te springen. De Saksen waren zo verbouwereerd dat ze op de vlucht sloegen.
Ferguut heeft er zijn twijfels over. Hij is niet meer zo lichtgelovig als vroeger, toen hij die verhalen slikte alsof ze evangelie waren. Vaag herinnert hij zich het gevecht in het bos en

hoe Walewein vooruit stoof. Maar die herinnering heeft bij hem een wrange nasmaak achtergelaten van nutteloos geweld en overbodige pijn. Mannen die huilden, zwaarden die in levend vlees hakten, bloed dat uit wonden spoot! Maar dat willen de broers van Galiëne niet horen. Hij moet over de heldhaftige kant van de oorlog vertellen! Hun enthousiasme werkt zo aanstekelijk dat Ferguut zelf verhalen begint te verzinnen.

Ferguut vindt overigens dat hij hier vreselijk zijn tijd verliest. Als leraar Latijn en verhaaltjesverteller kan hij zich nog nuttig maken, maar écht iets doen, mag hij niet. Zijn wonde is nochtans genezen. Wat doet hij hier dan nog? De dagen kruipen tergend langzaam voorbij. Telkens wanneer hij iets probeert te doen, staat Galiëne of een knecht klaar om hem de klus uit handen te nemen. Met Pollux spelen is het enige wat hij mag doen. Het begint hem allemaal vreselijk op de zenuwen te werken. Het liefst van al zou hij op zoek gaan naar Walewein. Maar Sagramort wil hem niet laten gaan. Walewein heeft zijn schildknaap aan hem toevertrouwd en Sagramort wil hem pas laten gaan wanneer zijn heer hem komt ophalen.

Gedreven door heimwee klimt Ferguut op een middag de trappen op, tot op de hoogste uitkijktoren van de kasteelhoeve. Aan zijn voeten ligt een klein dorp, niet meer dan enkele huizen met een kerkje, wat velden en weiden errond en voor de rest, zover hij kan zien, bossen, heuvels en meren. Hoelang moet hij hier nog blijven?

'Ferguut?'

Hij heeft haar niet horen komen, maar hij weet dat Galiëne achter hem staat. Hij heeft het haar nog niet durven zeggen, maar hij voelt zich gelukkig wanneer ze in de buurt is. Aan tafel en 's avonds als ze bij de haard zitten, kijkt hij enkel naar haar. Het liefst van al zou hij haar in zijn armen sluiten...

'Ben je ongelukkig?'

Hij draait zich om en kijkt in haar bezorgde ogen. Zij heeft het natuurlijk gemerkt dat hij er verloren bijloopt. Misschien denkt ze wel dat zij hem op de zenuwen werkt!

'Nee,' antwoordt hij, 'niet als jij bij mij bent.'

Ze glimlacht. Ferguut kent haar nu twee maand. Haar weelderig hoogblond haar valt als een waterval over haar schouders. Haar ogen schitteren als sterren bij heldere hemel. Deze gelegenheid mag hij niet laten voorbijgaan.

'Galiëne,' stamelt hij, 'ik eh...'

Hij legt zijn hand op haar schouder en drukt een kus op haar voorhoofd, haar ogen, haar neus, haar lippen... Ze weert hem niet af en slaat haar armen rond zijn hals.

'Ik ook', fluistert ze.

Daar, op de uitkijktoren van de kasteelhoeve, kijken ze eerst lange tijd naar elkaar, dan naar de opkomende maan, terwijl ze verliefde woordjes fluisteren.

'Ferguut', fluistert Galiëne wanneer de torenklok het einde van de werkdag aankondigt. 'Kan jij met de wapens omgaan?'

'Eh, nee. En ik weet ook niet of ik daar wel zin in heb.'

'Waarom niet?'

'Ik heb gezien hoe mensen met wapens omgaan.'

'Je moet niet leren aanvallen, maar je moet je tenminste kunnen verdedigen wanneer je aangevallen wordt. Leer dat hier, terwijl je op Walewein moet wachten. Een toekomstig ridder moet toch met de wapens kunnen omgaan.'

Zover had Ferguut nog niet gedacht. Hij kan deze gedwongen rust inderdaad ook gebruiken om iets bij te leren!

Diezelfde avond al brengt Galiëne het onderwerp aan tafel

ter sprake. Sagramort vindt dat niet alleen een goed idee, hij moedigt het zelfs aan. Hij geeft zijn wapenmeester de opdracht de jongen speciaal in het gebruik van de ridderwapens te trainen: de lans en het zwaard.

Die lessen van Ferguut vormen de volgende dagen hét gespreksonderwerp van Galiënes zusjes en broers. Stel je voor! In het begin kon Ferguut niet eens een lans vasthouden! Zelfs Erec, een jongetje van tien, kon hem met één stoot van het houten oefenpaard rammen! De hilariteit aan tafel is dan ook zo groot, dat Ferguut alles op alles zet om aan deze vernederende positie zo vlug mogelijk een einde te maken. Vroeg in de morgen haalt hij zelf de wapenmeester uit bed om te kunnen oefenen. De verhalen aan tafel worden na korte tijd al veel respectvoller. Niemand van Galiënes broertjes kan Ferguut na veertien dagen nog uit het zadel lichten. In gevechten met houten zwaarden kan hij er zelfs twee tegelijk aan. En als ze lelijk op hun donder gekregen hebben, bekennen ze spontaan: 'Ferguut, jij bent veel te sterk voor ons. Met jou spelen we niet meer!'

Galiëne is fier op haar Ferguut. Als een volwassen edeldame heeft ze haar sjaaltje aan zijn lans geknoopt, opdat hij altijd aan haar zou denken. En 's avonds, wanneer hij met haar broers voor de haard zit te schaken, naait zij met enkele dienstmeisjes een heel nieuw pak voor hem, afgezet met kant en hermelijn. Dat wordt zijn kerstgeschenk!

Kerstmis is een groot feest in Brittannië. Overal worden enorme vuren aangestoken om de langste nacht van het jaar in lichterlaaie te zetten en de lichtgod een handje toe te steken in zijn strijd tegen de duisternis. Binnen zijn alle woningen - van kastelen tot hutjes - versierd met sparren en klimop die als een guirlande wordt opgehangen. Iedereen trekt zijn beste pak aan. Appels, noten en honingkoeken worden als lekkernijen rondgedeeld.

In de grote eetzaal van het kasteel van Sagramort zit iedereen rond de haard. De kasteelheer naast zijn stalknecht, de edelvrouw naast haar kamermeisje. In deze nacht is iedereen gelijk, want Jezus is niet geboren om koningen te verlossen, maar gewone mensen.

Wanneer de klok in de toren middernacht slaat, wordt het heel stil in de eetzaal. Bedienden openen de dubbele deur en Merlijn schrijdt de zaal binnen. In zijn uitgestoken handen draagt hij de graal, de beker van het Laatste Avondmaal die bezet is met vier bloedrode robijnen.

Sagramort mag als eerste de beker vereren met een kus, dan ·Isolde en vervolgens iedereen, zonder aanzien van rang of stand.

Wanneer Ferguut aan de beurt is, laat Merlijn de kelk eventjes zakken, bekijkt Ferguut niet-begrijpend en laat hem dan de voet van de kelk kussen. Ferguut kent Merlijn natuurlijk wel uit de verhalen, maar hij heeft de man nog nooit in levende lijve gezien. Hij vindt overigens dat de beroemde tovenaar er maar heel gewoontjes uitziet: een klein, in het grijs gekleed mannetje met een lange baard en een glimmende kaalkop.

Nadat iedereen de graal gekust heeft, worden met schragen lange tafels gevormd. En zoals in alle families gaan de ouderen ook hier samen zitten. De jongeren vormen de lawaaierigste groep. Ferguut ziet er in zijn spiksplinternieuwe pak als een echte edelman uit.

Ferguut heeft al gemerkt dat Merlijn hem verwonderd en niet-begrijpend blijft aanstaren. Hij ziet hoe de tovenaar zich naar zijn gastheer overbuigt en met niet mis te verstane hoofdbewegingen inlichtingen over hem inwint.

'Is dat Ferguut?'

Merlijn heeft zo luid geroepen dat iedereen zwijgt en nieuwsgierig naar de tovenaar kijkt.

'Ja, dat is Ferguut', antwoordt Sagramort voor een doodstille zaal. 'Heer Walewein heeft hem aan mij toevertrouwd en hij is onze gast tot zijn heer hem komt halen.'

'Dat is niet mogelijk', antwoordt Merlijn met gefronste wenkbrauwen. 'Die jongen moet met Pasen in Londen zijn. Ik heb het in een droom gezien. Hij heeft daar iets te doen dat voor heel het koninkrijk van het allergrootste belang is.'

'Wat dan, Merlijn?' vraagt Galiëne.

Merlijn brengt Merlijn zijn hand aan zijn voorhoofd.

'Ik zag twee tenten staan. In één ervan zat de jongen, die jullie Ferguut noemen, te wachten op de verrader...'

'Welke verrader?' vraagt Ferguut met aandrang.

'Net toen ik zijn gezicht ging te zien krijgen, schrok ik wakker', antwoordt Merlijn. 'Jammer, je zal zelf moeten uitmaken wie de verrader is.'

'Dan moet ik zo snel mogelijk vertrekken', reageert Ferguut onmiddellijk. 'Londen is een heel eind hier vandaan.'

'Geen sprake van', neemt Sagramort hem lachend het woord af. 'Als jouw aanwezigheid in Londen onmisbaar is, zal Walewein je wel komen halen. Overigens is het de hoogste tijd om de beentjes uit te slaan en een dansje te riskeren', gaat hij vrolijk verder.

'Ja, dansen!' wordt er van alle kanten geroepen.

Alles wordt aan de kant geschoven en op de tonen van een harp zet de kasteelheer met Isolde de dans in.

Het wordt een vrolijke nacht, zoals er veel te weinig zijn in een jaar. Maar de woorden van Merlijn blijven diep nazinderen in Ferguuts hoofd.

[14]

Koning Hangus vraagt vrede! De Saksen geven zich over! Dat is hét grote nieuws dat bij het begin van de vasten in Brittannië de ronde doet. De Saksen hebben zich moeten terugtrekken in de vallei van de Theems en vragen om vrede. Al het land dat ze op de Kelten veroverden, hebben ze kwijtgespeeld. Enkel Londen bezetten ze nog, maar er wordt verteld dat velen van hen al naar hun stamland op het vasteland zijn teruggekeerd en dat hun schepen al klaar liggen om, in geval van nood, de Theems af te varen en het eiland definitief te verlaten. De meeste Britten vinden dat ze nu maar eens en voorgoed komaf moeten maken met de vijand. Koning Arthur is minder radicaal. De gezanten van Hangus hebben vrede gevraagd en een plaats om verder te leven. Daar heeft de koning wel oren naar. De Saksen zijn vlijtige doorzetters. Hun velden liggen er goed onderhouden bij. Als soldaten moeten ze voor de Kelten niet onderdoen. Waarom die mensen verjagen wanneer ze willen meewerken aan de opbouw van het rijk?

De zaak wordt uitvoerig besproken door koning Arthur en de ridders van de Ronde Tafel. Keye en nog enkele anderen vinden dat de koning zich schromelijk vergist. Saksen zijn absoluut niet vlijtig, het zijn luiaards die uit zijn op de

Keltische rijkdommen! Arthur zal hun nog gelijk geven wanneer die Saksen volgend jaar of over twee jaar opnieuw in opstand komen en het land te vuur en te zwaard verwoesten! Maar de koning is niet van zijn stuk te brengen. Hij is het oorlog voeren beu. Met de onderhandelaars wordt overeengekomen dat de twee koningen, ter gelegenheid van Pasen, in Londen de vrede zullen tekenen.

Wanneer Ferguut al die geruchten hoort, is hij niet meer te houden. Hij heeft in Londen iets te doen! Pasen komt alsmaar dichterbij en nog zit hij in het kasteel van Sagramort, helemaal in het westen van Brittannië. En de kasteelheer wil hem niet laten gaan! Ferguut verliest er zowaar zijn eetlust en zijn goed humeur bij.

Hij praat er met niemand over, zeker niet met Galiëne, maar die heeft al gemerkt dat haar vriend dromerig voor zich uit staart.

'Ferguut,' vraagt ze op een keer, 'wat scheelt er?'

De jongen draait zenuwachtig op zijn stoel.

'Zit je nog steeds met Londen in je hoofd?'

Ferguut knikt.

'Hebben we het daar nog niet genoeg over gehad?' vraagt ze verwijtend. 'Je zou toch wachten tot Walewein je komt halen?!'

Natuurlijk hebben ze dat afgesproken. Maar Walewein komt niet opdagen en het is al bijna halfvasten! Volgens de laatste berichten is Walewein al naar Londen gestuurd om de komst van de koning voor te bereiden.

'Ik moet vertrekken!' zegt Ferguut beslist. 'Hoe kan ik ooit ridder van de Ronde Tafel worden wanneer ik opgesloten zit in een kasteel, terwijl ik in Londen zou moeten zijn?'

Galiëne begint te wenen, maar eigenlijk is ze apetrots op hem. Haar Ferguut is geen gewone schildknaap, maar een uitverkorene van Hogere Machten. Ondanks haar verdriet organiseert ze zijn vertrek.

'Je moet een snel paard hebben', snottert ze. 'Daar kan Tristan voor zorgen. Wapens kunnen we niet aan de wapenmeester vragen, want die zou onmiddellijk mijn vader inlichten, maar Erec zal wel een zwaard en een lans opzij leggen. En kleren en proviand voor een week.'

'Komt er nog wat van?' fluistert Tristan. 'Ik kan dat paard niet eeuwig in bedwang houden.'

Hij houdt het dier bij de teugels, terwijl Ferguut afscheid neemt van Galiëne. Ze fluisteren over eeuwige liefde, voorzichtig zijn, snel terugkeren en altijd aan elkaar denken.

Erec komt aangelopen.

'Ik kan Pollux niet vinden. Iemand heeft hem meegenomen om te gaan jagen', fluistert hij.

Ferguut zucht. Hij trekt er niet graag op uit zonder zijn hond, maar hij kan niet langer wachten. Het is de hoogste tijd om te vertrekken. Straks klept de klok voor het angelus en dan komt heel het kasteel weer tot leven. Dan worden alle soldaten van Sagramort wakker en er onopgemerkt vandoor gaan, zal dan wel helemaal onmogelijk zijn.

Ferguut maakt zich los uit de omhelzing van Galiëne en haast zich naar buiten.

'Hier is je paard', fluistert Tristan. 'De lans en het zwaard hangen aan het zadel. Maak dat je wegkomt voor mijn vader wakker wordt. En... geluk ermee!'

'Bedankt!'

Ferguut geeft het paard de sporen. Met een explosie van kracht schiet het dier vooruit. Eindelijk! Eindelijk is Ferguut uit de gouden kooi van Sagramort ontsnapt!

Zonder nog om te kijken jaagt hij zijn paard vooruit, weg

van het kasteel, weg van zijn gevangenis! Ferguut heeft het gevoel dat er niets meer stuk kan gaan. Hij is vrij, verliefd en op weg naar Londen om een belangrijke opdracht uit te voeren!

Het eerste uur moet Ferguut de richting volgen van de opkomende zon. Dat is het oosten en daar ligt Salisbury. Vandaar loopt een oude Romeinse weg naar Londen. Wanneer hij geen tijd verliest en zijn paard van goede wil is, volstaan zeven dagen om er te geraken. Zo heeft de kapelaan van het dorp het hem uitgelegd. De man dacht dat Ferguut gewoon zijn aardrijkskundige kennis wilde bijschaven. Hij had zelfs kaarten van Brittannië uitgerold en alle wegen naar Londen aangewezen.

's Middags reeds beseft Ferguut dat zijn tocht geen plezierreis zal worden. Hij is helemaal doorweekt, heeft het koud en hij rammelt van de honger. Aan de rand van een bos houdt hij halt om een hapje te eten. Hij is verstijfd van de kou en het brood dat Galiëne zo liefdevol voor hem heeft ingepakt, is vochtig geworden, als een echte spons die uiteenvalt als je er een stukje wil afbreken. En omdat het vastentijd is, heeft hij niets anders meegekregen dan dat brood, een stuk kaas en een kruik water!

De moed zinkt Ferguut in de schoenen. Hij is nog maar een halve dag ver en hij wenst al dat hij nooit aan deze reis begonnen was. Het was zo heerlijk warm en droog in het kasteel van Sagramort. En de kussen van Galiëne waren zo heerlijk en zoet... Wat komt hij hier in de regen en de kou zoeken? *Ridder worden* was voor hem steeds synoniem van vechten, oorlog voeren, mooie dames het hof maken, de vijanden van de koning achtervolgen. Dat hij gewond raakte, vond hij nadien heel normaal. Een echte ridder moet vol littekens staan als herinnering aan de gevechten die hij geleverd heeft. Maar nu zijn het weer en de nattigheid zijn vijanden! Hoe ga je die te lijf?

'Door op je paard te springen en verder te rijden', vermant Ferguut zich. Hij laat zich niet verslaan door een beetje regen! Hoe dikwijls heeft hij vroeger niet in de regen op het land gewerkt? Hoe vaak is hij niet drijfnat of halfbevroren thuisgekomen van de gemeenschappelijke weiden? Belangrijk is wel, denkt Ferguut, dat ik vanavond een goed en warm onderkomen vind om mijn kleren te laten drogen en te slapen.

Zo ploetert Ferguut verder. Terwijl hij al uitkijkt naar een huis om de nacht door te brengen, houdt het pad plotseling op. Voor hem strekt zich een groot meer uit. Alweer een hindernis. Er is blijkbaar nog niet genoeg water gevallen vandaag. Nou, vooruit dan maar. Hij kan toch niet natter - worden dan hij al is. Hij geeft zijn paard de sporen. Vrijwel onmiddellijk duiken paard en ruiter hals over kop het meer in. Proestend komt Ferguut boven water en probeert vaste grond onder zijn voeten te krijgen. Op een halve meter van de kant is het meer al zo diep dat hij zich aan de graskant moet vastgrijpen en optrekken om uit het water te geraken. Zijn paard spartelt wanhopig en Ferguut probeert het dier bij de teugels uit het water te sleuren. Dat lukt slechts met vel moeite.

Drijfnat en hijgend schudden paard en ruiter het meeste water van zich af. Eigenaardig, denkt Ferguut, terwijl hij gaat zitten om het water uit zijn laarzen te gieten. Een meer dat aan de oever al zo diep is dat je zelfs geen grond meer raakt! Nieuwsgierig tuurt hij over het meer. Het water ziet er niet gewoon uit. Hemelsblauw, helder, doorzichtig, maar toch is de bodem niet te zien. En het doodstille oppervlak wordt door geen wind bewogen. Zelfs de regendruppels doen het water niet opspatten. En in het midden van het meer ligt een eiland, overwoekerd door een weelderige plantengroei. Niet ver van de oever ligt een schip op het water. Ferguut hoort het geklop met hamers. Mannen lopen over en weer op het dek. Ze bouwen een baldakijn, alsof ze de boot optuigen voor een belangrijke gebeurtenis.

Allemaal goed en wel, denkt Ferguut, maar dat betekent wel dat ik rond dit meer zal moeten trekken. En wanneer hij vanavond nog een dorp wil bereiken, zal hij er dus een beetje vaart achter moeten zetten.

Net dan ziet hij, verscholen tussen de bomen, een huisje staan. Waarschijnlijk een vissershut, denkt Ferguut. De eigenaar zal mij beslist niet kwalijk nemen dat ik er de nacht doorbreng. Hij leidt er zijn paard naartoe en zonder af te stappen maakt hij een ommetje rond de hut. Wanneer hij terug aan het voorkant komt, staat een bekoorlijk mooie vrouw in de deuropening. Haar gezicht straalt. Haar huid is blank en teer. Haar lange blonde haren hangen in natte slierten over haar schouders. Een blauwgroen kleed, versierd met waterplanten, reikt in ontelbare plooien tot op de grond. Het is alsof ze, net als Ferguut en zijn paard, pas uit het water is gekomen.

Ferguut is helemaal uit zijn lood geslagen. Hij wil iets zeggen, maar hij krijgt geen woord over zijn lippen.

'Ferguut', zegt de mooie dame, 'ben je daar eindelijk? Ik vreesde al dat je niet meer zou komen.'

'Jonkvrouw', stamelt de jongen, 'hoe kent u mij? Wie bent u? Waar komt u... ?'

De dame glimlacht.

'Je stelt veel vragen ineens', zegt ze vriendelijk. 'Kom maar binnen.'

Ferguut kan zijn paard niet zomaar achterlaten. Het dier

moet drooggewreven en gevoederd worden. Anders is het morgen ziek en moet hij te voet verder.

'Voor je paard wordt gezorgd', leest de dame zijn gedachten. 'Kom nu maar binnen voor je kou vat.'

Vlug wringt Ferguut het meeste water uit zijn kleren voor hij achter de dame de hut binnenstapt. Het is er heerlijk warm en de kamer is veel groter dan je zou verwachten. Een echte woonkamer, zoals Ferguut die kent uit de kasteelhoeve van Sagramort, maar de versiering is helemaal anders. Aan de muren hangen visnetten en alles wordt schitterend verlicht met luchters en kandelaars waarin wel vijftig kaarsen branden.

'Hier is een handdoek en trek deze droge kleren aan', zegt de mooie dame, terwijl ze hem een stapeltje overhandigt. 'Ik zorg ondertussen voor eten.'

De gastvrouw verdwijnt door een zijdeur, nagestaard door een beduusde Ferguut. Hij begrijpt niets van wat hem overkomt. Dit is beslist iets wat thuishoort in de wereld van de magiërs.

Aarzelend begint hij zich uit te kleden. Met de handdoek wrijft hij zich droog voor de open haard. Daarna trekt hij de zachte kleren aan die zijn gastvrouw hem gegeven heeft.

'Je avondmaal.'

De dame staat weer in de kamer, nu met een schotel vlees, groenten en brood. Het is wel vasten, maar het ruikt zo heerlijk dat hij er niet kan aan weerstaan. Een stukje ree en fazantenboutjes in een heerlijke wildsaus, hm... En daarbij een beker schuimend bier!

Wanneer Ferguut onder het goedkeurend oog van zijn gastvrouw het grootste deel van de schotel naar binnen heeft gewerkt en behaaglijk achterover leunt, begint de dame te spreken.

'Ik ben de Dame van het Meer', zegt ze.

Ferguut bekijkt zijn gastvrouw met grote, ongelovige ogen.

'Hebt u aan koning Arthur het koningszwaard gegeven?'

De Dame van het Meer knikt.

'Woont u in het meer? U hebt het zwaard toch uit het water laten oprijzen?'

'Klopt', zegt de Dame van het Meer. 'Je ziet toch dat mijn haar en kleren helemaal nat zijn. Mijn kasteel staat op de bodem van het meer. Maar omdat jij zo lang weg bleef, werd ik ongerust. Ik ben naar boven gekomen om je op te wachten. Je weet toch dat jij dringend naar Londen moet?'

'Maar wat moet ik in Londen doen?' vraagt Ferguut nieuwsgierig. 'Merlijn heeft het ook al over Londen gehad.'

'Heb je dat schip gezien op het meer? De roeiers zijn bezig het op te tuigen om een belangrijk man naar het eiland Avalon te brengen. Maar het is nog veel te vroeg. Brittannië kan hem nog niet missen. Jij moet ervoor zorgen dat HIJ blijft leven!'

Ferguut wordt helemaal bleek.

'Avalon is het eiland van de doden', wringt hij moeizaam uit zijn keel. 'Is dat eiland in het midden van het meer Avalon? De plaats waar de doden naartoe worden gebracht?'

De Dame van het Meer knikt. Ferguut huivert. Hij heeft de indruk dat de dood hier rondwaart, alsof hij haar adem in zijn nek voelt blazen.

Nu begrijpt hij wat er zo vreemd is aan het meer. Volgens de verhalen is het bodemloos diep. En behalve het schip dat de overledenen naar Avalon brengt, zinkt alles wat er probeert op te varen onmiddellijk naar de diepte.

Een koude rilling loopt langs Ferguuts rug. Hij is blijkbaar op het nippertje aan de dood ontsnapt. Het idee alleen al doet hem beven.

'Je moet niet bang zijn', spreekt de Dame van het Meer hem bemoedigend toe. 'Merlijn en ik zullen je beschermen. Jij moet er alleen voor zorgen tijdig in Londen te komen. Morgen is het Palmzondag. Bij zonsopgang zal je paard klaar staan. Geef het de sporen en het zal je uit zichzelf naar Londen brengen.'

'Maar wie moet ik daar dan beschermen?' vraagt Ferguut die van heel het verhaal nog steeds niets begrijpt.

'Ook ik weet het niet', antwoordt de Dame van het Meer, terwijl ze opstaat. 'Merlijn en ik hebben gelijktijdig een visioen gehad dat er iets verschrikkelijks staat te gebeuren in Londen, dat een belangrijk man op verraderlijke wijze zal worden gedood. Alleen jij kan dit onheil afwenden. En ik kreeg het verzoek jou een handje toe te steken.'

Uit een koffer diept ze twee schapenvachten op en spreidt ze voor de open haard.

'Kom hier maar bij het vuur slapen', zegt ze moederlijk. 'Je hebt morgen een zware dag voor de boeg en je hebt je rust meer dan nodig.'

Zonder tegenstribbelen gaat Ferguut liggen. Allerlei gedachten, vragen en bedenkingen warrelen door zijn hoofd. Hij is ervan overtuigd dat hij vannacht geen oog dicht zal doen, maar nog geen twee tellen later doezelt hij weg in een diepe slaap.

[15]

Het roffelen van de regen op het houten dak is het eerste wat Ferguut hoort, wanneer hij 's anderendaags wakker wordt. 'Alweer regen', geeuwt hij slaperig. Plotseling is hij klaar wakker. Waar is hij? Waar is de Dame van het Meer?

Verdwaasd kijkt hij om zich heen. De grote open haard van gisteravond heeft plaats gemaakt voor een miezerige stookplaats waarin wat opgebrande kooltjes liggen na te smeulen. Op een wankel houten tafeltje brandt een aflopende kaars die het kamertje nauwelijks verlicht. Dit is toch een andere kamer dan gisteren! Wat is hier gebeurd?

Ferguut wipt recht. Hij draagt nog de kleren die de Dame van het Meer hem heeft gegeven. Het plunje dat Galiëne hem zo liefdevol heeft meegegeven, ligt droog en netjes opgeplooid op een stoel. Op tafel ligt een plankje met twee dikke sneden brood en ernaast staat een kruikje dampende melk. Ferguut schudt het hoofd, maar laat zich het ontbijt toch smaken. Met het laatste stukje brood nog in zijn mond trekt hij zijn laarzen aan, neemt zijn droge kleren onder de arm en duwt de buitendeur open. Zijn paard staat nog op dezelfde plaats waar hij het gisteren heeft achtergelaten. Het dier is droog alsof het net van stal is gehaald. Het zadel is opgeblonken en in de zadeltas zit voeselvoorraad voor meer dan één dag.

Ferguut knoopt de teugels los, springt in het zadel en geeft zijn paard de sporen. Hij merkt al gauw dat het dier zijn eigen weg gaat. En het loopt ook veel sneller. Je zou geloven dat Tristan het snelste paard uit de stal van zijn vader heeft gehaald.

Ferguut heeft er goede moed op. Het drassige gebied van Avalon heeft hij nu achter zich gelaten. Her en der ziet hij boerderijen en kleine dorpen verspreid in het landschap. De weg is niet verlaten. Ruiters, pelgrims, handelaars en boerenkarren maken er ook gebruik van. Dit moet de oude Romeinse heirbaan zijn, denkt Ferguut.

Terwijl zijn paard voortsnelt, ziet hij uit zijn ooghoek dat er iemand naast de weg ligt. Een meisje zit eroverheen gebogen. Het is één van de vele dingen die Ferguut onbewust waarneemt en waarbij hij niet blijft stilstaan. Hij moet immers naar Londen. Hij heeft geen tijd om zich de ellende van anderen aan te trekken. Eén ogenblik rijdt hij nog door, maar dan trekt hij wild aan de teugels. Het paard steigert, maar Ferguut kent die truukjes.

Hij kan niet verder rijden. Daar is iemand in nood. Een toekomstig ridder moet allereerst zijn medemensen helpen! En wanneer hij dan nog tijd over heeft, mag hij zoveel heldendaden verrichten als hij wil. Met sterke hand dwingt Ferguut zijn paard rechtsomkeer te maken. Naast de weg ligt een oude vrouw, ziet Ferguut nu. Onbeweeglijk en bleek, alsof ze dood is. Een meisje spreekt de vrouw zachtjes toe en ondersteunt haar hoofd.

'Wat is er aan de hand?' vraagt Ferguut, terwijl hij van zijn paard springt.

Het meisje kijkt op, schrikt als ze Ferguut ziet en deinst angstig achteruit.

'Laat ons met rust!' schreeuwt ze. 'Wij willen geen oorlog!'

Verwilderd kijkt ze Ferguut aan, maar die begrijpt er helemaal niets van. Aan haar accent hoort hij wel dat ze een Saksische is, maar hij heeft toch alleen maar goede bedoelingen! Wat heeft dit te betekenen?

'Ik wil enkel helpen', zegt Ferguut zo vriendelijk mogelijk. Tegelijk buigt hij zich over de oude vrouw. Die ziet er vreselijk uit. Haar kleren zijn kletsnat. De vrouw is graatmager en er loopt een litteken van haar slaap tot haar mond. Haar borst gaat zwakjes op en neer. De vrouw leeft nog, denkt Ferguut. Ik moet haar zo vlug mogelijk laten verzorgen, anders is het te laat.

'Laat ons met rust!' schreeuwt het meisje opnieuw.

Zonder op haar acht te slaan, tilt Ferguut de vrouw op en wikkelt haar in zijn eigen kapmantel.

'Er zit een kruikje melk in mijn zadeltas', zegt hij tegen het meisje. 'Neem het eruit.'

Niet-begrijpend en wantrouwig kijkt ze Ferguut aan.

'Melk', articuleert hij.

Tegelijk wijst hij met zijn kin in de richting van het paard. Onbeweeglijk en vijandig blijft het meisje hem aanstaren. Ferguut legt de oude vrouw neer en neemt de melk uit de zadeltas. Dan knielt hij voorzichtig naast het oudje neer, legt haar hoofd op zijn knieën en probeert wat melk tussen haar lippen te gieten. Meer dan twee slokjes krijgt ze niet naar binnen. De rest loopt in straaltjes langs haar kin.

Die is er erg aan toe, denkt Ferguut. Wanneer ik haar hier achterlaat, is ze dood voor de avond valt. Maar waar moet ik haar naartoe brengen?

'Waar is jullie huis?' vraagt hij aan het meisje dat nu toch een beetje minder vijandig kijkt.

'Wij hebben geen huis meer!' roept ze. 'Stomme oorlog. Jullie hebben ons huis in brand gestoken!'

Wat er echt gebeurd is, weet Ferguut natuurlijk niet, maar hij vermoedt dat de troepen van de koning de huizen van de Saksen in brand hebben gestoken. Dan moet hij hen maar meenemen naar de eerstvolgende herberg.

'Ga maar op het paard zitten', zegt hij tegen het meisje. Heftig schudt ze van neen.

'Maar je moet de zieke vrouw vasthouden', dringt hij aan.

Maar het meisje komt geen stap dichterbij.

'Vervelend wicht!', bromt Ferguut.

Met de oude vrouw in zijn armen hijst hij zich in het zadel en laat het paard zachtjes verder gaan. Op een steenworp volgt het meisje, met slepende tred alsof ze met een touw wordt voortgetrokken. Die zal het ook niet lang meer volhouden, vreest Ferguut. Ik moet iets doen voor ze helemaal in elkaar zakt. Hij legt de oude vrouw over de nek van het paard, springt op de grond en spurt naar het meisje toe. Voor ze zich heeft kunnen omdraaien om weg te lopen, heeft Ferguut haar al in zijn armen. Ze spartelt wel tegen en ze jankt als een kat, maar hij tilt haar op, zet haar op het paard achter de oude vrouw en gooit een paardendeken over haar rug.

'Neem de vrouw in je armen', zegt hij boos, 'en hou op met die flauwekul!'

Nog probeert ze zich van het paard te laten glijden, maar Ferguut kijkt zo kwaad, dat ze van twee kwalen de minste kiest en rillend in het zadel blijft zitten. Bij de eerste herberg zal hij stoppen en de twee vrouwen achterlaten. Want hij mag niet uit het oog verliezen dat hij naar Londen moet en dat de tijd dringt!

Het is al aardig donker wanneer ze een herberg bereiken. En erg goed zijn ze niet opgeschoten! Ferguut is er een beetje kregelig van geworden. Nijdig knoopt hij de teugel vast aan een ring in de voorgevel en stapt de herberg binnen. Er is weinig volk. Een groepje mannen zit in een hoek luidruchtig te eten. Normaal zijn de herbergen langs drukke wegen altijd vol. Vroeger, toen hij met zijn vader naar de jaarmarkten ging om nieuwe dieren te kopen, hadden ze het soms moeilijk om binnen te geraken en een bed te bemachtigen. Ferguut stapt naar de toog.

'Waard!'

Een man komt overeind.

'Wat zal het zijn?'

'Eten en slapen voor drie', bestelt Ferguut.

'Komt in orde, heer.'

Ferguut is eventjes uit zijn lood geslagen. Die waard noemt hem 'heer'! Ferguut, de boerenjongen, wordt hier met 'heer' aangesproken! Maar natuurlijk, denkt Ferguut, ik draag nog altijd de fijne kleren die de Dame van het Meer mij heeft gegeven.

'En een plaats voor mijn paard.'

'De staljongen zal het paard verzorgen en voeden.'

Ferguut knikt.

'Weinig volk vandaag,' zegt hij rondkijkend.

'Gisteren en eergisteren zag het hier zwart van de klanten. Allemaal op weg naar Londen. Het schijnt dat daar de vrede zal getekend worden tussen koning Arthur en de hoofdman van de Saksen. Wie er nu nog naartoe wil, zal zich moeten haasten. Er wordt verteld dat de stadspoorten van Londen zullen gesloten worden. Er is al te veel volk binnen de muren.

'Dat is slecht nieuws', zegt Ferguut. 'Ook ik moet ook naar Londen!'

'Over de weg komt u er niet meer in, heer, tenzij u zo belangrijk bent dat ze voor u een uitzondering maken.'

'Nee', glimlacht Ferguut, 'zo belangrijk ben ik niet. Maar toch moet ik in Londen geraken!'

Hij draait zich om en wil naar buiten om de vrouwen te halen, wanneer er in de hoek plots een lachsalvo losbarst. Ferguut kijkt in de richting van de luidruchtige mannen. Bor! Ferguut is er zeker van dat één van de mannen die daar zit Bor is, zijn vroegere buur, de man van twaalf stielen en dertien ongelukken. Bor, die misschien wat met de roofridder te maken had! Eventjes staart Ferguut hem aan. Ook Bor heeft hem herkend. Maar zowel Ferguut als Bor doen alsof er geen vuiltje aan de lucht is. Bor lacht verder, Ferguut gaat buiten om de vrouwen te halen. Hij maakt het zwaard los en geeft het aan het meisje.

'Kan jij dit zwaard verbergen onder de paardendeken?' vraagt hij.

Het meisje aarzelt en bekijkt Ferguut weer vijandig.

'Het zou kunnen dat er rovers in de herberg zijn,' dringt hij aan, 'en dan ben ik liever niet ongewapend.'

Met tegenzin doet het meisje wat hij vraagt.

Even later draagt Ferguut de oude vrouw naar binnen en legt haar voor de open haard. Haar ogen zijn al open en ze heeft een beetje meer kleur gekregen, maar lopen kan ze nog niet. Behulpzaam komt de vrouw van de waard uit de keuken lopen en bezorgd kijkt ze naar de oude vrouw.

'Uw moeder is er erg aan toe', zegt ze. 'Ik zal haar droge kleren geven en verder verzorgen.'

Ferguut vindt het helemaal niet erg dat de oude vrouw zijn moeder genoemd wordt. Integendeel, hij doet er nog een schepje bovenop.

'Geef mijn zus ook maar droge kleren als dat kan. Zij is helemaal doorweekt.'

Terwijl hij zich omdraait om het meisje dichterbij te roepen, ziet hij uit zijn ooghoeken dat Bor niet meer op zijn plaats zit. Erg veel zorgen maakt hij zich niet. Hij heeft een zwaard binnen handbereik en misschien is Bor wel op de vlucht geslagen.

Wanneer ze alle drie opgedroogd en doorwarmd zijn, wordt het eten opgediend: stukken vis en rivierkreeftjes in een hete bouillon. Daarbij een stuk brood en een kruik bier.

'Deze morgen gevangen in de Theems', zegt de waard trots, 'en nu al op uw tafel, heer!'

'Zijn we dan vlak bij de Theems?' vraagt Ferguut verwonderd.

'Inderdaad, heer. We noemen dit dorp Thameshead al is de Theems hier nog maar een smal riviertje voor kleine bootjes.'

Dan ben ik werkelijk de verkeerde kant opgegaan, denkt Ferguut. Dat komt ervan als je een paard zijn gang laat gaan! Maar lang kan hij niet blijven suffen. Dat meisje is zich aan het volproppen en de oude vrouw heeft ook geen moeite om haar mond te openen. Als hij nog iets hartigs binnen wil krijgen, zal hij moeten voortmaken.

Maar Ferguut vergist zich. Er zit meer vis in de pot dan hij verwacht had. Wanneer ze allemaal voldaan achterover leunen, vindt hij dat het tijd is voor ophelderingen. Gemakkelijk gaat dat niet. Het meisje heet Yonec en ze is op de vlucht met haar grootmoeder. De rest van haar familie is omgekomen in de oorlog. Veel meer komt Ferguut niet te weten, maar aan het gezicht van de vrouwen te zien, houden ze hem mee verantwoordelijk voor de ramp die hen getroffen heeft. Logisch natuurlijk: hij is een Kelt, zij zijn Saksen. Overigens, denkt Ferguut, heb ik genoeg gedaan voor die twee. Ik heb hen van de straat gehaald, eten, drinken, droge kleren en onderdak verstrekt. Aan de waard zal ik geld geven om hen nog drie dagen kost en inwoning te verschaffen, maar meer kan ik ook niet doen.

Resoluut staat Ferguut op. 'We gaan slapen', zegt hij. Hij helpt de oude vrouw overeind, draagt haar de vrouwenslaapkamer binnen en legt haar op één van de strozakken tegen de muur.

'Mijn zwaard', zegt hij tegen Yonec.

Het meisje haalt het wapen te voorschijn. Zelf probeert hij het zo goed mogelijk in zijn broekspijp en onder zijn arm te verbergen.

'Slaapwel', zegt Ferguut kort en loopt naar de gelagzaal.

'Ik ga ook maar eens slapen', zegt hij tegen de waard. 'Wil je mij tegen angelustijd wakker maken?'

'Komt in orde, heer.'

'Mijn moeder en zus zijn te vermoeid om verder te reizen. Wil je hen een paar dagen kost en inwoning geven? Maak mijn rekening maar tegen morgenvroeg.'

De slaapplaats voor de mannen bevindt zich aan de andere kant van de gelagkamer en ook daar liggen de strozakken tegen de muur. Slechts één of twee slaapplaatsen zijn al ingenomen. Keus te over dus. Maar Ferguut wil zo dicht mogelijk bij de deur slapen. Dat groepje lawaaimakers waar ook Bor bij hoorde, zit nog steeds in de gelagkamer. Wanneer er iets gebeurt, ben ik vlug ter plaatse, denkt Ferguut.

Zelfs wanneer hij al op zijn slaapzak ligt, houdt hij zijn zwaard nog stevig in zijn hand geklemd. Hij wil wakker blijven om een oogje in het zeil te houden. Maar geen vijf tellen later slaapt hij als een roos.

Gestommel in de gelagkamer doet Ferguut wakker schrikken. Woedend gebrul en geschreeuw van iemand die wordt afgetuigd. Ferguut wil onmiddellijk opspringen en de gelagkamer binnenstormen. Maar tijdig bedenkt hij dat dit niet de juiste methode is. De wapenmeester van Sagramort heeft hem geleerd voorzichtig te zijn en goed uit te kijken voor je een gevecht aangaat. Het is niet alleen noodzakelijk te weten welke vijand je voor je hebt, je moet ook weten wie achter je staat. De kaars in de slaapruimte is uitgeblazen. Het enige licht is een flauw schijnsel dat door een brede kier van de deur naar binnen valt. Of er nog andere slapers in de kamer zijn, kan hij niet zien.

Hij grijpt zijn zwaard stevig beet en kruipt naar de deur. Door de spleet probeert hij te ontdekken wat daar gebeurt. Een man en een vrouw zitten vastgebonden op een stoel. Enkele ruige kerels staan ervoor en tuigen hun slachtoffers hardhandig af. Ferguut begrijpt dat het om geld gaat. In de gevangenen herkent hij de waard en zijn vrouw. Dus toch! Zijn neus heeft hem niet bedrogen, toen hij de indruk had dat er rovers in de buurt waren.

Uit het vrouwenslaapvertrek komt een man die een gillende Yonec onder zijn arm meedraagt.

'Dit snoesje kunnen we toch niet achterlaten', zegt hij. 'Dat zou zonde zijn...'

'Gelijk heb je', antwoordt een ander. 'We nemen haar mee. Ze kan voor ons natje en droogje zorgen!'

Ze schateren het uit.

'Mannen!' roept een struise kerel de anderen tot de orde. 'We moeten eerst dit afhandelen.'

Het lawaai verstomt en Ferguut ziet dat een man de anderen opzij duwt en met een toorts breeduit voor de twee gevangenen gaat staan.

'Dit is jullie laatste kans', hoort Ferguut hem zeggen. 'Toon ons de plaats waar het goud en zilver verstopt zitten, anders zullen we de grote middelen gebruiken.'

'Ik heb geen goud of zilver', antwoordt de waard met klagende stem. 'Het geld dat ik vandaag verdiende, hebben jullie al. De paarden hebben jullie uit de stallen geroofd. Wat willen jullie nog? Meer heb ik niet!'

De paarden geroofd? Hebben ze het paard van Sagramort gestolen? Dat zou pas een échte ramp zijn! Meteen vergeet Ferguut alle voorzichtigheid, springt overeind en gooit de deur open. Met het zwaard in de hand staat hij dreigend in de deuropening. Eventjes verwekt dit opschudding bij de mannen. Dan begint iemand te schaterlachen alsof er net een fantastische mop verteld werd.

'Mannen', hoort Ferguut, 'dit is het knulletje dat al eens eerder de held heeft willen uithangen, weten jullie nog wel, in het bos!'

Meteen heeft Ferguut de spreker herkend: het is Bor, die ook al voor de roofridder werkte en de stiel blijkbaar voor eigen rekening verder zet.

'En weten jullie wat er zo grappig is aan dat ventje?' gaat Bor spottend verder. 'Ik zal het jullie vertellen. Dit boerenpummeltje zwaait wel met een zwaard, maar hij kan er niet mee omgaan!'

Een bulderend gelach vult de gelagkamer en Ferguut wordt zo rood als een kalkoen.

'Geef dat zwaard maar hier, jongen, voor je ermee in je vingers snijdt', roept iemand, terwijl hij op Ferguut toestapt om hem het wapen af te nemen.

Ferguut reageert onmiddellijk. In plaats van de vijand op te wachten, schiet hij zelf vooruit, geeft twee mannen met het plat van zijn zwaard een dreun tegen de slaap en prikt de punt van zijn wapen in de keel van de man die de fakkel draagt.

'Het pummeltje dat niet met een zwaard kon omgaan, heeft

veel bijgeleerd', zegt Ferguut sarcastisch. 'Als ik jullie was, zou ik vlug mijn biezen pakken, voor je van nabij kennis maakt met die onhandige kluns.'

'Mannen!' schreeuwt Bor. 'Geloof die boerenpummel toch niet. Hij kan het nooit van ons winnen. Wij zijn met zes en hij is alléén!'

Razendsnel reageert Ferguut op de bedreiging. Hij mag inderdaad niet wachten tot ze allemaal op hem toestormen. Voor ze iets in hun handen krijgen, moet hij zelf paniek zaaien. Met een schreeuw zwaait hij zijn zwaard voor zich uit.

Voor ze naar hun wapen hebben kunnen grijpen, heeft Ferguut hen allemaal geraakt. Yonec valt op de grond en vlucht lenig als een kat terug naar het vrouwenslaapvertrek. De rovers deinzen terug en kijken al naar de buitendeur om weg te komen. Alleen de man met de fakkel houdt zich nog kranig en stelt zich tegenover Ferguut op. Zijn lippen staan opeengeperst, zijn ogen zijn vernauwd tot twee vuurspuwende spleetjes, zijn knokkels zijn wit van de kracht waarmee hij de fakkel omklemt.

Ferguut wil dezelfde gevechtstechniek toepassen als daarnet. Als een schicht schiet hij vooruit en probeert de fakkel uit de handen van zijn uitdager te slaan, maar zijn tegenstander is een kei in het ontwijken van zijn aanvallen. Die kan met een zwaard omgaan als de beste, merkt Ferguut.

Geen tel later krijgt hij daar het bewijs van. Zijn tegenstander scheert met de brandende fakkel langs zijn hoofdhaar dat gedeeltelijk verschroeit en een geur van brandend haar verspreidt.

'Kaal zie jij er ook niet slecht uit!' spot de man. 'Kom wat dichterbij dat ik ook de andere kant van je hooimijt kan afstoken.'

En hij doet het nog ook, zonder dat Ferguut er zich kan tegen verdedigen. Twee, drie keer zwaait hij met de fakkel zo dicht bij Ferguuts hoofd dat zijn haar in brand staat. Verschrikt deinst de schildknaap achteruit en slaat met zijn linkerhand op zijn hoofd om het smeulend vuurtje te doven. Een betere stunt had de man met de fakkel niet kunnen uithalen. Zijn kornuiten geven geen stuiver meer voor Ferguuts leven en lachen en spotten met hem alsof hij het duel al verloren heeft. Ferguut laat zich door het gelach niet uit zijn lood slaan. De rover is zelfs zo zelfverzekerd dat hij zijn hoofd naar zijn kornuiten omdraait om te tonen hoe je met dit soort pummeltjes moet afrekenen. Maar dat is een dekkingsfout waar Ferguut onmiddellijk gebruik van maakt. Hij schiet vooruit en treft zijn tegenstander in volle borst. Diens adem stokt, hij valt op de knieën en nog even blijft hij de fakkel voor Ferguut heen en weer zwaaien.

De anderen zien dat de situatie plots gewijzigd is. Hun kompaan is verloren! Hun enige redding is vluchten. Ferguut zou er kunnen achteraan gaan, want de man met de fakkel vormt geen bedreiging meer voor hem, maar buiten is het te donker om vijf rovers succesvol te achtervolgen.

Met een smak slaat de man tegen de vloer en blijft onbeweeglijk liggen. Ferguut zakt op zijn knieën om het gezicht van zijn slachtoffer te bekijken. Dat ziet er vreselijk uit: opengesperde, angstige ogen, een mond die nog naar adem snakt. Er is iets in Ferguut dat zich tegen deze overwinning verzet. Hij heeft een mens gedood! Voor het eerst heeft hij iemand het leven ontnomen. Een man die enkele minuten geleden nog ademde en lachte, ligt hier dood voor zijn voeten. Hij voelt zich misselijk worden.

Door het lawaai zijn de mensen wakker geworden, maar zolang het gevecht duurde, hebben ze het niet gewaagd in de gelagkamer te komen. Nu het gevaar geweken is, komen ze te voorschijn.

Ferguut ziet dat Yonec breeduit glimlacht. Ze komt op hem toegelopen, kust hem en wil hem niet meer loslaten.

'Mijn held!' zegt ze enthousiast. 'U hebt mij gered! Ik ben nu van u!'

'Heer, wil u ons alstublieft losmaken?' vraagt de waard een beetje gegeneerd.

Terwijl Ferguut de touwen losknoopt, put de waard zich uit in dankbetuigingen: Ferguut heeft hem gered, voor de rest van zijn leven mag de heer rekenen op zijn dankbaarheid. Als alle ridders waren zoals Ferguut, dan zou het er in dit land veel beter aan toe gaan. Hij blijft maar doorgaan met zijn lofbetuigingen.

'Mijn paard!' roept Ferguut plots.

'Jammer, heer', antwoordt de waard met een triestig gezicht. 'De dieven hebben eerst de paarden weggehaald. Daarna wilden ze ook nog mijn geld meenemen, maar dank zij u heb ik mijn schamele spaarcentjes kunnen behouden.'

'Hoe moet ik nu in Londen geraken?' vraagt Ferguut schaapachtig.

'Per boot, heer,' reageert de waard prompt. 'Ik heb hier een vissersboot liggen waarmee u naar Londen mag varen.'

'Maar ik kan niet varen', antwoordt Ferguut wanhopig. 'Ik heb nog nooit op een boot gezeten.'

'Ik wel!' roept Yonec. 'Ik zal u naar Londen brengen!'

Het vooruitzicht nog langer met de vrouwen opgescheept te zitten, trekt Ferguut niet aan, maar hij heeft geen keuze als hij tijdig in Londen wil toekomen.

[16]

Het is een boot, toegegeven. Maar wat voor een! Niet meer dan een roeiboot waarmee kinderen op een vijver spelevaren. Moeten wij daarmee naar Londen? vraagt Ferguut zich verschrikt af.

'Kijk, heer', zegt de herbergier trots, 'de boot heeft zelfs een zeil, een roer en twee roeispanen. Gemakkelijk te besturen, heer, en vier comfortabele zitplaatsen!'

Sinds Ferguut de rovers op de vlucht heeft gejaagd, is de waard druk in de weer geweest om het zijn redder naar de zin te maken. De waard bood hem het zachtste bed van het huis aan en de overvloedigste maaltijd, maar daar wilde Ferguut niet van horen. Het enige wat telde was zo vlug mogelijk naar Londen vertrekken.

'We wagen het er maar op', zegt Ferguut gelaten, terwijl hij in het bootje stapt. De waard trekt de waard het zeil op en duwt de boot af.

'De rivier zal jullie meenemen tot in Londen!'

En dan drijft het bootje langzaam met de stroming mee. Veel hoop om nog op tijd te komen heeft Ferguut niet meer. Londen is nog een eind en het bootje vordert traag. Trouwens, wat voor zin heeft het allemaal? In Londen de held uithangen, ridder worden! Waarom? Om nog meer mensen te doden? Waarom heeft hij het aanbod van de waard niet aangenomen? In het huis blijven en voor de veiligheid van de reizigers zorgen. De waard zou hem als een prins behandeld hebben. Maar nee, hij moet zo nodig de held uithangen! Het beeld van die rover met zijn fakkel, zijn brekende ogen, de klap waarmee hij tegen de grond sloeg, het spookt allemaal door zijn hoofd, het rommelt in zijn buik... en het spek met eieren die hij een half uurtje geleden nog zo smakelijk heeft opgegeten, gulpt als visseneten over zijn tong.

Strelende handen ondersteunen zijn hoofd. Iemand veegt zijn mond schoon en wist het koude zweet van zijn voorhoofd. Yonec. Ze legt zijn hoofd in haar schoot en aait zijn verschroeide schedel.

Het is niet eerlijk, denkt Ferguut. Yonec gelooft dat ik in actie gekomen ben om haar te redden, maar dat is niet waar. Het paard van Sagramort heeft mij alle voorzichtigheid doen vergeten. Die liefkozingen zijn niet voor mij bestemd maar voor iemand die meer van mensen houdt dan van paarden. Hoe moet hij dat aan Yonec uitleggen? Ze kijkt hem zo bezorgd en moederlijk aan. Zou hij geen poging doen wat vriendelijker te zijn?

'Het gaat al veel beter', zegt Ferguut terwijl hij rechtkomt.

Inderdaad, het overgeven heeft hem opgelucht. Hij is niet meer van plan zich bij zijn nederlaag neer te leggen. Hij moet tijdig in Londen zijn, wel, hij zàl op tijd in de stad aankomen! Resoluut staat hij op, trekt ook Yonec overeind.

'Vind je het goed dat wij een beetje roeien om sneller vooruit te komen?' vraagt hij vriendelijk.

'Natuurlijk!' antwoordt Yonec.

'En kan je grootmoeder het roer bedienen?'

Aarzelend komt de oude vrouw overeind.

'Klaar?' vraagt Ferguut wanneer ze naast elkaar op de roeiersbank zitten. 'Eén, twee... één, twee.'

Krachtig trekken ze aan de riemen en langzaam krijgt het bootje snelheid. Ferguut ziet hoe dapper Yonec aan de riemen rukt en hij wil natuurlijk niet achterblijven. Lang kunnen ze dit niet volhouden. Terwijl ze even uitrusten van de inspanning vraagt Yonec: 'Ben jij een landbouwerszoon?' Ferguut knikt.

'Mijn vader heeft een boerderij in Lansburry.'

'Waarom ben jij niet thuis gebleven?'

'Ik heb er altijd van gedroomd ridder te worden. Het leven op het land heb ik nooit prettig gevonden.'

'Waarom heb je mij gered?' vraagt Yonec terwijl ze hem recht in de ogen kijkt.

'Het was mijn plicht', antwoordt Ferguut. 'En omdat je mooi bent', voegt hij er blozend aan toe. 'Ik wed dat de jongens van je dorp in bosjes achter je aanliepen.'

Yonec lacht. Het is alsof oude herinneringen bij haar bovenkomen. 'Kom', zegt ze enthousiast, 'terug roeien!'

Ferguut heeft wel een beetje gelogen, want zo mooi als Galiëne is Yonec beslist niet. Maar ze woont dan ook niet op een kasteel en ze heeft geen kamermeisjes om haar haar te wassen en te kammen. Het enige kledingstuk dat ze heeft, is een grijze wollen overgooier die op verschillende plaatsen verkleurd en gescheurd is. Zo kan Yonec natuurlijk niet tegen Galiëne concurreren, hoewel de trekken van haar gezicht fijn zijn en haar ogen levendig de wereld inkijken.

Maar Ferguut heeft geen tijd om zich met Yonec bezig te houden. Hij wordt voortgedreven alsof iemand absoluut wil dat hij tijdig in Londen aankomt. Stoppen om te eten doen ze niet. Pas wanneer het zo donker is geworden dat ze geen hand meer voor hun ogen zien, laten ze het bootje in het riet vastlopen om te slapen. Ze gaan alle drie naast elkaar op de bodem van het bootje liggen, trekken het zeiltje over zich heen en laten zich door het water in slaap wiegen. Yonec maakt er gebruik van om heel dicht tegen Ferguut aan te kruipen en haar armen rond zijn hals te slaan alsof hij haar grote liefde is.

Het duurt geen twee dagen voor Yonec hem helemaal van zijn stuk heeft gebracht. Alles was nochtans duidelijk voor hem. Hij had zich van Galiëne losgemaakt om naar Londen te trekken. Hij had zich over twee vrouwen ontfermd, maar eigenlijk waren zij een blok aan zijn been. Hij moest zo snel mogelijk van die twee lastposten afgeraken. Maar nu is Ferguut daar niet meer zo zeker van. Yonec is een leuke meid die graag lacht, maar ook heel ernstig kan zijn als dat nodig is. Het is alsof ze samen zijn opgegroeid en geen geheimen hebben voor elkaar. Voor een meisje dat niet lezen of schrijven kan, is ze erg pienter.

De volgende dag vertelt Yonec hem het verhaal van haar ongeluk. Jaren geleden was haar grootvader als één van de eerste Saksen in Brittannië toegekomen. Niet om te vechten, maar om grond te zoeken waarop hij zijn brood zou kunnen verdienen. Van een Keltische herenboer kreeg hij een stuk grond in pacht. Hij mocht er een hoeve op bouwen en de grond bewerken in ruil voor tien zakken rogge per jaar. Heel zijn leven woonde grootvader daar en toen hij stierf, nam zijn oudste zoon de pacht van zijn vader over. Alles ging goed tot er meer en meer Saksen Brittannië binnendrongen en de vruchtbare gronden schaarser werden. Op een morgen werden ze door een bende Kelten overvallen. De boerderij werd in brand gestoken en de bewoners werden met pijlen, messen en stokken afgemaakt. Yonec en haar grootmoeder ontsnapten, omdat zij zeer vroeg het huis waren uitgegaan om in de dorpskerk de mis bij te wonen. Nadat ze hun doden hadden begraven, waren ze weggetrokken...

'Waar naartoe?' vraagt Ferguut.

'Ik weet het niet. Zomaar.'

'En hoelang waren jullie al op pad?'

'Tien dagen. Gelukkig hebben wij u gevonden.'

Yonec toont dat ook duidelijk door Ferguut om de hals te vliegen en te kussen.

Bijna begint Ferguut te hopen dat ze tegenwind krijgen en de reis naar Londen tot met Pinksteren zal duren.

Met de dag wordt de rivier breder, maar van anderen horen ze dat Londen nog zeker twee dagreizen af is.

'Dan komen we op paaszaterdag in Londen aan,' zegt Ferguut.

'Wat moet jij in Londen?' vraagt Yonec.

Ferguut wil eerlijk antwoorden, maar er is iets dat hem tegenhoudt.

'Ik moet naar mijn meester, Heer Walewein! Hij heeft laten weten dat ik mij op Pasen bij hem moet voegen. Wat gaan jullie doen in Londen?'

Yonec haalt haar schouders op.

'Ik weet het niet', zegt ze. 'Misschien vinden we wel familie... of een mooie jongen.'

Ze lacht geheimzinnig.

'Wat moet jij met een mooie jongen?' vraagt Ferguut een beetje kribbig.

'Ik ben zestien jaar. Ik zal weldra trouwen en kindjes krijgen.'

Ferguut kijkt naar de punten van zijn schoenen. Hij heeft een vriendin waar hij smoorverliefd op is, maar hij kan niet ontkennen dat hij ook Yonec heel aardig vindt.

'Maar je gaat toch niet op de markt staan roepen dat je een echtgenoot zoekt,' gaat Ferguut geprikkeld verder. 'Waar willen jullie dan naartoe?'

Yonec haalt haar schouders op en bekijkt Ferguut alsof ze er zeker van is dat hij daar wel een oplossing zal voor verzinnen.

Maar Ferguut heeft nog steeds geen oplossing gevonden wanneer ze op de middag van paaszaterdag de brug over de Theems naderen.

'Londen!' schreeuwt Yonec. 'We zijn in Londen!'

[17]

Van het oude Londinium, lang geleden door de Romeinen
gesticht, staat bijna niets meer overeind. Toen de legioenen
het eiland ontruimden, volgde er een periode van wanorde
en oorlogen. De stadspoorten die volgens de herbergier
gesloten zouden worden, zijn niet meer dan een opening in
een houten palissade die met takkenbossen wordt dichtge-
gooid. Londen ontleent zijn faam aan de restanten van de
Romeinse haven: hier kunnen nog schepen aanleggen die
van het vasteland komen om wol en tin te laden in ruil voor
wijn, olie en andere producten die met het verdwijnen van
de Romeinen uiterst schaars zijn geworden.
Die oude haven ligt nu vol schepen, want de terugtrekkende
Saksen zijn met hun boten naar hier gekomen. Als de onder-
handelingen mislukken, kunnen ze zich op hun schepen
terugtrekken en naar zee vluchten.
Gelukkig zit dat er niet in, denkt Ferguut. Wanneer alle geruchten die hij opvangen heeft, waar zijn, is de oorlog voorbij en tekenen de twee koningen op paaszondag de vrede.
Dat is in de stad trouwens duidelijk te merken. Op de oevers
van de Theems hebben de twee legers een tentenkamp opge-
steld, de Saksen aan de rivierkant, de Kelten landinwaarts.
In het midden, op een grote open ruimte, staan de twee
koninklijke tenten: die van koning Arthur met de witte

draak in top, en de tent van koning Hangus, versierd met het vaandel van de rode draak.

Wachtposten zijn er omzeggens niet en zonder gehinderd of aangesproken te worden, zijn Ferguut en Yonec tot midden in het kamp gewandeld. Ze beseffen dat de reis afgelopen is, dat ze beiden een andere richting zullen uitgaan en ze elkaar na vandaag misschien nooit meer zullen terugzien.

'Prachtige tenten', zegt Yonec terwijl ze vol bewondering naar de koninklijke behuizing staart.

Als dit de koninklijke tent is, denkt Ferguut, dan kan die van Walewein niet ver weg zijn. Inderdaad, de eerste tenten die een cirkel rond het binnenplein vormen, zijn bijna zo mooi als die van de koning. Hier kamperen de Keltische en Saksische edelen.

'Opzij, opzij, de koning komt eraan!' wordt er geroepen.

Soldaten duwen Yonec en Ferguut ruw opzij.

'Maak plaats voor de koning!'

Twee heren in feestkledij komen pratend en lachend aangewandeld: koning Arthur en Walewein!

'Heer Walewein!' roept Ferguut verheugd.

Hij wil op zijn meester toelopen, maar een soldaat verspert hem de weg. Walewein kijkt in zijn richting, knijpt zijn ogen half dicht.

'Heer, ik ben het, uw schildknaap!'

'Ferguut?' roept Walewein verwonderd.

Walewein duwt de soldaat opzij en drukt Ferguut in zijn armen.

'Ferguut,' zegt hij lachend, 'wat ben ik blij je te zien.'

Ook de koning keert zich naar hem.

'Jongen, jongen, wat zie jij eruit!' zegt de koning ongelovig.

'Jij komt recht uit de onderwereld!'

'Ik weet het, Sire,' reageert Ferguut onmiddellijk, 'maar

Merlijn heeft mij gestuurd, omdat ik hier een belangrijke opdracht te vervullen heb!'

'Dat kan best zijn', lacht de koning, 'maar dan moet je toch eerst een bad nemen en schone kleren aantrekken.'

'Ik zorg wel voor hem, Sire,' zegt Walewein. 'Kom mee naar mijn tent, Ferguut. Daar zullen we opnieuw een deftig mens van je maken.'

'Wacht even, heer. Het meisje dat bij mij is...'

Hij draait zich om om Yonec te roepen, maar die is nergens meer te zien.

'Hé, soldaat,' vraagt Ferguut, 'waar is het meisje dat hier bij mij stond?'

'Weggegaan!' En met zijn kin wijst hij de richting aan waarin ze verdwenen is.

'Ze komt straks wel terug', zegt Walewein. 'Hier in het tentenkamp kan je niet verloren lopen. Vertel me wat er met jou gebeurd is. Toen ik je bij Sagramort achterliet, was je meer dood dan levend. Hoe kom je hier?'

En terwijl Ferguut door de dienaars van Walewein in bad wordt gestopt en schone kleren krijgt, vertelt hij honderduit over Merlijn, over Sagramort die hem niet wilde laten gaan, over de Dame van het Meer, de rovers in de herberg en zijn boottocht naar Londen.

Walewein is er stil van geworden.

'Een vreemde geschiedenis', zegt hij nadenkend. 'Als Merlijn jou naar hier stuurt, dan is er iets op til. Maar wat?'

'Wie is de belangrijke man die naar Avalon zal gebracht worden als jij niet tijdig in Londen aankomt?' mijmert Walewein luidop. 'Wie is de verrader die jij moet opwachten?'

'Heer,' onderbreekt Ferguut hem, 'ik heb gehoord dat u op uw eentje een heel leger Saksen op de vlucht hebt gejaagd!'

'Later, Ferguut, later,' antwoordt Walewein verstrooid. 'Ik

vind dat ik dit aan de ridders van de Ronde Tafel moet voorleggen.'

Hij staat op en loopt naar de uitgang.

'Ferguut,' zegt hij voor hij naar buiten stapt, 'je kan hier blijven. Eet wat. Ik ben zo terug.'

Dat eten kan nog wel even wachten, denkt Ferguut. Maar Yonec niet. Ik ga haar zoeken. Onmiddellijk loopt hij naar buiten. Waar kan ze naartoe zijn? Naar het Saksische deel van het kamp natuurlijk. Misschien is ze op zoek naar familie of kennissen uit hetzelfde dorp, bij wie ze met haar grootmoeder kan intrekken.

Ferguut loopt tussen de tenten, kijkt overal goed rond, maar Yonec is nergens te bespeuren. Dan loop ik maar naar het bootje terug, denkt Ferguut. Misschien is ze naar haar grootmoeder teruggekeerd en wacht ze mij daar op.

In het bootje treft Ferguut alleen de oude grootmoeder aan. Die staat vol bewondering voor zijn prachtige kleren. Ze klapt enthousiast in haar handen, terwijl ze in het Saksisch blijft doorgaan. Maar waar Yonec is, komt hij ook van haar niet te weten.

Ten einde raad geeft Ferguut het op. Hij wil naar de tent van Walewein terugslenteren, wanneer Yonec in zijn richting komt aangelopen. Ze is zenuwachtig en opgewonden, dat ziet hij zo. Dat hij gewassen is en een ander pak aan heeft, merkt ze zelfs niet.

'Ik heb jou overal gezocht!' roept ze verwijtend.

'Ik jou ook!' antwoordt Ferguut. 'Voor ik in de tent van Walewein binnenging, was jij al verdwenen. Waar ben je naartoe gegaan?'

'Ik heb in het Saksisch deel van tentenkamp rondgezworven. Ik ben teruggekomen om jou te redden.'

Ferguut begrijpt er niets van.

'Jij hebt mij gered uit de klauwen van de rovers, ik zal jou redden uit handen van de Saksen', zegt ze opgewonden.

'Yonec,' probeert Ferguut, 'wat is er gebeurd? Waarom moet ik uit de handen van de Saksen gered worden?'

'Groot geheim', zegt ze geheimzinnig. 'Maar jij bent mijn enige vriend en ik wil jouw leven redden.'

'Dat vind ik heel aardig van je,' probeert Ferguut te glimlachen, 'maar kan je niet wat meer uitleg geven?'

'Straks! We keren terug naar de herberg!' zegt ze vastberaden. 'Weg van de oorlog!'

Ferguut staat er verslagen bij en laat zich door Yonec in het bootje trekken.

'Roeien!' glimlacht ze. 'Roeien!'

Door haar geestdrift aangestoken, gaat hij op de roeiersbank zitten en grijpt de riem beet.

'Roeien!' herhaalt Yonec. 'Weg van de oorlog!'

Wanneer ze al een eindje opgeschoten zijn en de brug van Londen uit het zicht verdwenen is, keert Ferguut zich naar Yonec.

'Vind je niet dat ik nu recht heb op een beetje uitleg?' vraagt hij kalm.

Yonec kijkt hem glimlachend aan.

'Ik heb jouw leven gered. Koning Hangus wil geen vrede. Hij wil de andere koning onthoofden en dan zullen de Saksen de Kelten...' En met haar duim gaat ze langs haar keel.'

Ferguut is sprakeloos. Heeft hij haar goed begrepen?

'Wil Hangus koning Arthur doden?' vraagt hij ongelovig.

Yonec knikt.

'Wanneer?'

'Vannacht.'

'Hoe weet jij dat?'

'Een dronken Saksische ridder heeft het mij verteld. Hij moet zich vannacht gereed houden om alle Kelten te doden.'

'Wanneer?'

'Als Hangus met het hoofd van de andere koning naar buiten komt.'

Ferguut zucht en neemt Yonec in zijn armen alsof hij haar wil beschermen. Zachtjes maakt Yonec zich los.

'Roeien,' herhaalt ze. 'Weg van de oorlog!'

Maar Ferguut is er niet zeker van dat dit de juiste beslissing is. Tenslotte slaat hij op de vlucht! In plaats van zijn koning en zijn volk te redden! Is hij daarom naar Londen gekomen? Heeft hij daarvoor zoveel doorstaan?

Ik moet terug, hamert het door zijn hoofd. Ik moet Walewein en koning Arthur waarschuwen! Dáárom heeft Merlijn mij gestuurd.

Vastberaden staat Ferguut op. Met een stevige worp keilt hij zijn roeispaan in de Theems. Hij rukt het zeil van de kleine mast en gooit het eveneens in het water. Dan stampt hij als een geweldenaar het roer van de achtersteven.

'Wat doe je?' vraagt Yonec verschrikt.

'Ik wil niet terug naar de herberg', zegt Ferguut met klem. 'Ik wil mijn koning redden!'

'Nee!' schreeuwt Yonec. 'Je moet bij mij blijven!'

Ferguut begrijpt dat discussiëren zinloos is. Zijn besluit staat vast!

'Yonec,' zegt hij, 'het liefst van al zou ik jou in mijn armen sluiten, maar ik moet doen waarvoor ik gekomen ben.'

'Ferguut, nee!'

Met een afsprong die het bootje vervaarlijk doet wiebelen, duikt Ferguut in de Theems. Hij moet zo snel mogelijk naar Walewein terugkeren, vertellen wat hij gehoord heeft om de plannen van Hangus te dwarsbomen.

Met krachtige slagen zwemt hij terug naar Londen. Omkijken doet hij niet, want hij is bang dat hij toch nog medelijden krijgt met de twee vrouwen en naar het bootje terugkeert. Wat moet er trouwens van Yonec en haar grootmoeder worden, flitst het door zijn hoofd, als de hel hier losbarst? Want daar is hij ondertussen wel van overtuigd geraakt: Pasen zal geen vrede brengen in Brittannië, maar oorlog!

Wanneer hij eindelijk grond onder zijn voeten voelt, kruipt hij naar de oever en kijkt om. In het midden van de rivier dobbert het bootje stuurloos rond. Dan loopt Ferguut resoluut in de richting van het tentenkamp.

Hij is opgelucht als hij eindelijk aan de tent van zijn heer komt. Walewein zit aan tafel met enkele andere ridders te praten.

'Ferguut!' roept Walewein. 'Wat is jou overkomen?'

'Dat heeft nu geen belang, heer,' antwoordt zijn schildknaap. 'Ik heb vernomen dat het leven van de koning in gevaar is.'

Onmiddellijk veert Walewein overeind.

'Vertel op!'

'Hangus is van plan koning Arthur vannacht te onthoofden. Wanneer hij met het hoofd naar buiten stapt, komen de Saksen in actie. Ze gaan ons allemaal over de kling jagen.'

Doordringend kijkt Walewein hem in de ogen.

'Ben je daar zeker van?' vraagt hij met gefronste wenkbrauwen.

'Een Saksisch meisje heeft het mij verteld.'

'Je beseft toch hoe ernstig die beschuldiging is?' gaat Walewein verder. 'Wij zijn hier om de vrede te tekenen en als het waar is wat je zegt, dan is dit niet het begin van de vrede, maar de voortzetting van een verschrikkelijke oorlog!'

'Dat weet ik, heer!'

Walewein staat ongedurig te trappelen, alsof hij niet precies weet hoe hij de zaak moet aanpakken.

'Ferguut,' zegt hij na een poosje, 'ik ga met de koning overleggen. En u, heren' - hij richt zich tot de ridders die met hem aan tafel zaten - 'vraag ik hier te blijven tot ik terug ben!'

Somber staart koning Arthur voor zich uit.

'Het is niet mogelijk!' mompelt hij. 'Zou Hangus vrede aangeboden hebben om ons naar hier te lokken?'

De ridders van de Ronde Tafel zitten zwijgend rond hun koning.

'Wel?' vraagt Arthur, terwijl hij hen aankijkt. 'Geef mij raad. Wat moet ik doen?'

Mopperend staat Keye op.

'Sire,' zegt hij, 'vindt u niet dat we ons druk maken over een schildknaap met te veel fantasie?'

'Die schildknaap heeft wel de roofridder ontmaskerd!' valt Lamorac hem in de rede.

'Moeten we daarom op al zijn fantasietjes ingaan?' roept Keye boos. 'Hij kan nog veel verzinnen om de ondertekening van het verdrag te verhinderen!'

'Dat is hij volgens mij niet van plan', probeert Lancelot Keye te kalmeren. 'Hij heeft gewoon aan Walewein verteld wat hem overkomen is en ik vind dat het erg onvoorzichtig zou zijn daar geen rekening mee te houden. Heeft de jongen ongelijk, zoveel te beter! Heeft hij toch gelijk, dan zal Waleweins plan het koninkrijk voor een grote ramp behoeden.'

'Lancelot heeft gelijk', valt Parsifal hem bij. 'We kunnen niet voorzichtig genoeg zijn. Het enige dat we erbij inschieten, is een slapeloze nacht! Blijkt morgenvroeg dat er niets is gebeurd, dan gaat de ondertekening van het vredesverdrag gewoon door en Ferguut krijgt een flinke bolwassing. Wat denken jullie daarvan?'

Veelbetekenend kijkt hij naar Ferguut die bij de ingang van de tent staat en getuige is van de beraadslaging.

Veel kunnen de ridders daar niet tegen inbrengen.

'Mag ik daaruit besluiten dat jullie met dit advies van Parsifal akkoord gaan?' vraagt koning Arthur.

'Akkoord!'

'Ja!'

'Ik ook!'

'Walewein,' besluit de koning, 'wij gaan het plan uitvoeren zoals jij het hebt voorgesteld. Vergeet niet al je ridders en manschappen te waarschuwen dat ze de ganse nacht in staat van paraatheid moeten blijven. Ik vind niet dat jij in mijn plaats Hangus moet trotseren, maar als je dat absoluut wil, zal ik mij daar niet tegen verzetten. De vergadering is gesloten.'

De ridders blijven napraten terwijl koning Arthur en Walewein achter een kamerscherm van kleren verwisselen. Wanneer de twee van achter het scherm verschijnen, is het vrolijkheid troef bij de ridders van de Ronde Tafel. Zelfs met Waleweins kleren aan ziet Arthur er nog altijd indrukwekkend uit: groter dan de meeste ridders, kaarsrecht en hoogblond, een echte koninklijke verschijning.

'Sire,' zegt Lancelot, 'zelfs in deze vermomming ben je nog herkenbaar! Je steekt een hoofd boven ons uit en je haar wappert in de wind!'

'Ik heb in mijn tent nog een muts', zegt Walewein, 'die het haar van de koning volledig zal wegstoppen. Ferguut, zeg tegen mijn bediende dat ik mijn sneeuwmuts wil hebben.'

'Jawel, heer.'

Wanneer Ferguut met de muts is teruggekeerd, zet Walewein die op het hoofd van koning Arthur.

'En als je nu wat door de benen zakt, Sire, zal niemand het verschil merken', zegt Walewein.

Al lachend en pratend stappen de ridders uit de koninklijke tent naar buiten. Het is alsof ze na een gezellige babbel met hun koning naar hun eigen tenten terugkeren voor de nacht.

[18]

Walewein en Ferguut blijven in de koninklijke tent achter.
'Komaan, Ferguut', zegt Walewein. 'We maken alles klaar
voor de feestelijke ontvangst van Hangus!'
Op één klein olielampje na doven ze alle lichten in de tent,
om de indruk te wekken dat de koning zich klaarmaakt om
te gaan slapen. Dan stoppen ze vulling in het bed en trekken
de dekens hoog op, alsof Arthur diep ligt te slapen. Zelf gaan
ze, buiten het schijnsel van de olielamp, achter een grote
koffer zitten. Die olielamp moet de hele nacht blijven branden, niet alleen om voldoende te kunnen zien, maar ook om
de toortsen te kunnen aansteken. Walewein draagt zijn
zwaard binnen handbereik en Ferguut moet zich tevreden
stellen met een stevige knots.
Tot laat in de avond lopen er soldaten in het kamp rond,
zowel Kelten als Saksen. Dronkelappen vind je in beide kampen. Waarschijnlijk zal Hangus pas in actie komen op het
uur van de wolf, net voor de ochtendschemering, wanneer
de nacht nog even zijn adem inhoudt.
Dat wordt een lange wake, denkt Walewein. Maar veel moeite om wakker te blijven heeft hij niet. Het is niet zijn eerste
nachtelijke opdracht. Ferguut heeft meer moeite om zijn
ogen open te houden. Die heeft tenslotte al een flinke zwem-
beurt en een warm bad achter de rug. Maar er is iets dat hem

belet in slaap te vallen. Yonec... Wat is er met haar gebeurd? Leeft ze nog of is ze door de rivier meegesleurd naar zee? Wanneer het hem te machtig wordt, begint hij met Walewein een fluisterend gesprek.

'Heer?'

'Hm?'

'Eh...'

'Wel?' vraagt Walewein. 'Wat is er?'

'Hebt u nog iets gehoord over mijn familie?' flapt Ferguut eruit.

'Nee.'

'Zou de nieuwe hoeve al gebouwd zijn?'

'Ik weet het niet.'

Walewein is niet van plan zich in nutteloze gesprekken te laten meeslepen. Hij staat op scherp en wil alles horen en zien wat rondom hem gebeurt.

'Heer?' herbegint Ferguut na een poosje, terwijl hij al zijn moed verzamelt.

'Hm?'

'Bent u al verliefd geweest?'

Walewein moet stiekem lachen om die vraag.

'Natuurlijk!'

'Maar bent u al eens op twee meisjes tegelijk verliefd geweest?'

'Dat is mij wel eens overkomen, ja.'

'En hebt u er ook een in het midden van de Theems achtergelaten?'

Walewein antwoordt Walewein niet onmiddellijk. Het is duidelijk dat zijn schildknaap moeite heeft met wat hij deze middag heeft gedaan. Hij heeft tenslotte twee mensen in een stuurloos bootje achtergelaten.

Het geluid van voetstappen die door het gras schuiven, doet

hen verstommen. Voorzichtig legt Walewein zijn hand op Ferguuts arm en geeft hem in het halfduister een teken dat hij zich nog beter moet verstoppen.

Ferguut heeft nog niets gehoord, maar hij ziet dat iemand aan het tentzeil prutst. Voorzichtig en onhoorbaar slaat een indringer de ingang van de tent open en schuift naar binnen. Walewein en Ferguut die aan het licht gewend zijn, zien een grote, sterke man die onbeweeglijk blijft staan en in alle richtingen tuurt.

Enkele tellen blijft hij zo roerloos staan. Dan haalt hij een zwaard van onder zijn mantel en stapt op het bed van koning Arthur toe. Met beide handen klemt hij het gevest van het wapen vast en drijft de punt door de dekens. Hij trekt zijn zwaard terug, gooit met één ruk de dekens op de grond en wil zijn slachtoffer het hoofd afslaan... Maar dan merkt hij zijn blunder. Hij stampt hij tegen het bed en kerft er met zijn zwaard onder alsof zijn slachtoffer zich daar verstopt heeft.

De man is zo woedend dat hij zelfs Walewein niet hoort die vanachter de kist is opgestaan en een toorts boven de olie-lamp houdt. Wanneer de fakkel vuur vat en de tent plots hel verlicht wordt, draait hij zich verschrikt om.

'Koning Hangus,' zegt Walewein spottend, 'wat brengt u hier in de tent van koning Arthur? Is het ogenblik niet slecht gekozen om vriendschappelijke bezoekjes af te leggen?'

Hangus staat briesend voor zijn tegenstander. Volledig gekleed om ten strijde te trekken, maar met open vizier stapt hij op Walewein toe.

'Waarom vraag je niet gewoon een zak of een vod als je die nodig hebt? Moet je zonodig ons meubilair verknoeien?' vraagt Walewein tergend.

Nauwelijks kan hij zijn zin afmaken. Hangus schiet naar voor en probeert hem aan zijn zwaard te rijgen. Walewein heeft dit verwacht, heft bliksemsnel zijn wapen op en pareert de aanval van zijn tegenstander. Maar wat Hangus niet met zijn zwaard bereikt, probeert hij met zijn voeten. Hij stampt Walewein tegen de schenen en doet hem zijn evenwicht verliezen. De ridder rolt over de vloer, staat snel weer op, zijn zwaard in de ene, de fakkel in de andere hand.

'Hangus,' zegt Walewein,' je bent niet alleen een slechte koning, je bent nog laf op de koop toe! Je nodigt ons uit, zogenaamd om de vrede te tekenen, maar in feite wil je de koning van Brittannië vermoorden.'

'Er kan maar één koning zijn in Brittannië!' schreeuwt Hangus. 'En dat ben ik! Er kan maar één volk zijn dat het hier voor het zeggen heeft en dat zijn de Saksen! Hoe wij ons doel bereiken, kan ons niet schelen', sist Hangus.

Opnieuw stormt hij vooruit en dringt Walewein in de verdediging.

Onrustig volgt Ferguut van achter de kist het verloop van het gevecht. Koning Hangus gaat heftig tekeer en maakt het Walewein uiterst lastig. Maar Ferguut maakt zich helemaal geen zorgen. Hij is ervan overtuigd dat zijn meester het uiteindelijk toch zal halen. Wie Walewein kan verslaan, moet nog geboren worden!

Tegelijkertijd slaan de twee zwaarden met zo'n kracht tegen elkaar dat het wapen van Walewein uit zijn handen vliegt.

'Zie je wel dat wij de heren van Brittannië zijn!' roept Hangus zegevierend. 'Als ik mij niet vergis, ben jij de beroemde Walewein, de onoverwinnelijke ridder waarover de gekste verhalen de ronde doen. Welnu, in de toekomst zullen ze er kunnen aan toevoegen dat Walewein verslagen is door Hangus, de nieuwe koning van Brittannië!'

Tegelijk heft hij zijn zwaard op om Walewein het hoofd af te slaan.

Maar Ferguut heeft intussen niet werkloos toegezien. Toen het zwaard van Walewein op de grond viel, heeft hij zijn knots gegrepen en is hij tot achter Hangus geslopen. Op het moment dat die wil toeslaan, geeft Ferguut hem een tik op zijn achterhoofd, zo hard, dat Hangus bewusteloos voorover stuikt.

Walewein staat te beven als riet. Verweesd kijkt hij naar Ferguut, dan naar Hangus. Langzaam krijgt zijn gezicht weer kleur.

'Bedankt!' stamelt hij.

Nog eventjes treuzelt hij alsof hij niet goed weet hoe het verder moet.

'Heer, we moeten Hangus buiten brengen,' zegt Ferguut vastberaden, 'en de Saksen tonen wat hun koning van plan was.'

Ze nemen Hangus onder de armen en dragen hem buiten de tent.

Het schemert al, op het plein tussen de koninklijke tenten is geen mens te bespeuren. Maar nadat ze Hangus voor de tent van koning Arthur hebben gelegd, komen van overal gewapende mannen aanlopen. In een mum van tijd staat het plein vol gewapende strijders.

'Wat is er gebeurd?' wordt er geroepen.

Walewein zwaait met zijn armen om stilte te vragen.

'Hangus is gewapend de tent van koning Arthur binnengedrongen. Hij heeft geprobeerd onze koning te vermoorden in zijn slaap!'

'Leeft koning Arthur nog?' wordt van vele kanten geroepen.

'Jawel, ik leef!' galmt de stem van Arthur over het plein.

Vergezeld van enkele ridders van de Ronde Tafel baant hij zich een weg door de nieuwsgierigen.

'Saksische leiders!' roept Arthur. 'Uw koning had mij hier

uitgenodigd om een vredesverdrag te sluiten. In ruil voor land aanvaardde hij mij als koning te erkennen en één van mijn vazallen te worden. In plaats daarvan heeft hij geprobeerd mij te vermoorden en mijn volk uit te roeien.'

'Dat wisten wij niet!' wordt er in het Saksisch geroepen.

'Dat wisten jullie wél!' schreeuwt koning Arthur boos. Jullie zijn gekleed en gewapend om oorlog te voeren!'

'Maar ook jullie staan hier tot de tanden gewapend!' roept iemand.

'Inderdaad! Dank zij één van onze dapperste mannen hebben wij ontdekt wat jullie Saksen van plan waren! Neem jullie koning mee, breek je tenten op, ga naar jullie schepen en verdwijn zo vlug mogelijk uit ons land!'

Even is het doodstil op het plein.

Dan ontstaat er geroezemoes. Mannen grijpen naar hun wapens en in een oogwenk staan Kelten en Saksen tegenover elkaar.

'Wij zijn niet bang deze laatste veldslag te leveren!' roept koning Arthur. 'Tot hier in Londen hebben wij jullie teruggedreven. We kunnen jullie ook het graf injagen als je daar op staat! Wat zal het zijn: goedschiks of kwaadschiks vertrekken?'

Een Saksische edelman treedt naar voor, keert zich naar zijn volksgenoten en spreekt hen toe. Aanvankelijk krijgt hij enkel gejouw als antwoord. Maar hij geeft niet op. Zijn stem klinkt alsmaar overtuigender en na korte tijd komt er instemmend gemompel van zijn mannen. Wanneer hij uiteindelijk zijn toespraak beëindigt met enkele korte en rauwe kreten, krijgt hij zelfs een stormachtig applaus van zijn volksgenoten.

Dan keert hij zich om en zegt tot koning Arthur: 'Wij vertrekken. Maar denk niet dat u van ons af bent. Wij willen dit eiland hebben! En wij of onze kinderen zullen terugkeren om u te verslaan!'

Enkele mannen nemen Hangus vast en in snel tempo ontruimen de Saksen het kamp. Koning Arthur blijft met zijn soldaten toekijken hoe de Saksen naar hun schepen trekken. Ferguut is zenuwachtig. Hij kan moeilijk stil blijven staan. Hij zou de Keltische slagorde willen verlaten om tussen de vertrekkende Saksen te gaan neuzen.

'Walewein?' fluistert hij.

'Hm?'

'Ik zou wel eens willen gaan kijken of Yonec...'

Krachtig schudt Walewein van neen.

'Laat Yonec met haar volk vertrekken', zegt hij beslist. 'Vergeet haar. Morgen of overmorgen vertrek ik met jou naar het kasteel van Sagramort. Is daar niet iemand die ongeduldig op jou zit te wachten?'

Ferguut glimlacht bitter. Hij was Galiëne bijna vergeten! En hij had nochtans gezworen eeuwig aan haar te denken! En hij houdt nog van haar, natuurlijk, maar hij kan het niet helpen dat elke gedachte aan Yonec pijnlijk door zijn hart snijdt.

Nog voor alle Saksen zijn ingescheept, is de stemming bij de Kelten die van de grote dagen. De zangers zijn al begonnen muziek te maken. Grote koperen ketels worden boven de vuren gehangen. Er hangt feest in de lucht, zoals de Kelten er in jaren geen meer gevierd hebben.

'Mannen!' roept koning Arthur. 'Dit is een grote dag voor Brittannië. Eindelijk hebben wij onze vijanden overwonnen en kunnen wij in vrede verder leven!'

Het gejuich van de manschappen overstemt de toespraak van de koning.

'Ferguut!' roept koning Arthur, 'waar is Ferguut?'

'Hier, heer,' antwoordt Walewein.

'Breng hem hier.'

'Ferguut,' zegt de koning wanneer de jongen voor hem staat, 'jij hebt mijn leven gered. Ik dank je uit de grond van mijn hart. En ik weet ook waarmee ik je kan belonen. Kniel voor mij neer.'

Ferguut kijkt rond, alsof hij niet begrijpt wat er gaat gebeuren. Walewein duwt hem op zijn knieën.

'Ferguut,' zegt koning Arthur plechtig, 'in naam van Sint-Patrick en Sint-Jacob sla ik u tot ridder!'